CONSULTE SEUS GUIAS

SONIA CHOQUETTE

CONSULTE SEUS GUIAS

Como se conectar com seus anjos e amigos espirituais

Tradução
Doralice Lima

3ª edição

Rio de Janeiro | 2024

CIP-BRASIL. CATALOGAÇÃO-NA-FONTE
SINDICATO NACIONAL DOS EDITORES DE LIVROS, RJ.

Choquette, Sonia

C476c Consulte seus guias / Sonia Choquette; tradução: Doralice Lima.
3ª ed. — 3ª ed. — Rio de Janeiro: Best*Seller*, 2024.

Tradução de: Ask your guide
ISBN 978-85-7701-361-6

1. Guias (Espiritualismo) 2. Anjos da guarda. I. Título.

12-3972. CDD: 133.9
CDU: 133.9

Texto revisado segundo o Acordo Ortográfico da Língua Portuguesa de 1990.

Título original inglês
ASK YOUR GUIDE

Capa: Marianne Lépine
Crédito da imagem de capa: Fotolia
Editoração eletrônica: FA Studio

Publicado originalmente em 2006 pela Hay House Inc. USA.

Impresso no Brasil

ISBN 978-85-7701-361-6

A meus lindos guias: Joachim, os Emissários do Terceiro Raio,

Rose, Joseph, os Três Bispos, as Irmãs Pleiadianas, Dot,

Charlie, Dr. Tully, e a todos os outros ajudantes celestiais.

E a meus adorados guias terrenos, inclusive minha mãe, meu

pai e minha irmã Cuky; meu marido, Patrick;

e minhas queridas filhas, Sonia e Sabrina.

Sumário

PARTE VI: A VIDA GUIADA PELO ESPÍRITO

PREFÁCIO

Um dia como outro qualquer

Semana passada eu me sentia inquieta depois de passar cinco dias em casa, de cama, com um maldito resfriado. Precisava de uma mudança de cenário, mas, ainda sem muita energia, decidi que o passeio mais ambicioso que podia fazer era buscar minha filha na aula com o professor particular.

Depois que saí de casa e dirigi por alguns quarteirões, o céu nublado escureceu ainda mais e as nuvens se abriram numa inesperada tempestade de inverno. Em meio ao tráfego pesado, sem nenhum aviso, meu carro tossiu, deu um salto e subitamente morreu, para meu absoluto cosntrangimento. Consegui sair da corrente de trânsito e parar no acostamento, e acionei a ignição várias vezes, sem sucesso — o motor estava completamente morto. "Droga!", exclamei, frustrada com a situação. Com uma febre baixa ainda drenando minha energia, aquilo era só o que faltava para me deixar pior. Para completar, minha filha esperava que eu a pegasse e levasse de volta para casa, onde tinha um compromisso com outro professor.

Pelo telefone celular chamei meu marido, Patrick, para pedir ajuda. Ele disse que só poderia chegar dentro de uma hora, pois estava do outro lado da cidade, preso no mesmo engarrafamento. Desliguei o telefone, com muita pena de mim mesma — sem falar da minha preocupação com minha filha que me esperava no meio da chuva. Comecei a rezar. Perguntei a meus espíritos protetores, meus guias, se algum deles entendia de mecânica de automóveis no mundo espiritual e se, nesse caso, ele, ou ela, poderia consertar o carro imediatamente. Fiquei sentada bem quieta — acalmando a irritação, tranquilizando os medos e abrindo as portas do coração.

— Sei que você pode me ajudar e ficarei muito agradecida se o fizer. Só me diga que atitude devo tomar — pedi.

De repente, senti um impulso de esfregar as mãos, como para aquecê-las e de apoiá-las sobre o painel. Telepaticamente, ouvi: *Transmita sua energia ao carro. Não se preocupe com o mal-estar. Coloque as mãos sobre o painel e deixe seu coração ressuscitar o motor.*

Como confio inteiramente e aceito sem discussão a orientação de meus guias, segui as instruções, visualizando a energia fluindo do meu coração através do corpo para dentro do carro.

Está pronto, escutei e senti. Apoiei a mão sobre o volante, respirei fundo e acionei o contato com a outra mão. O motor tossiu e *voilà:* começou a funcionar! O carro voltou à vida. Rindo alto, agradeci profusamente a meus guias.

— Vocês são o máximo! Sabia que me ajudariam — gritei.

Fiquei sentada por alguns minutos ouvindo o motor para ter certeza de que ele estava pronto para trabalhar novamente e então, sem mais, retomei a viagem.

Cinco minutos depois, a chuva diminuiu e parei em frente à casa do professor. Minha filha Sabrina apareceu e pulou para dentro do veículo.

— Desculpe o atraso — disse ela, ofegante.— A aula acabou cinco minutos atrasada.

— Não faz mal, também acabei de chegar neste minuto — respondi sorrindo.

Com isso, chegamos felizes em casa, salvas mais uma vez pelos espíritos que me ajudam sempre que peço. Assim são os dias em minha vida de médium — cheios de guias, anjos e auxiliares do Outro Lado, sempre presentes para facilitar minha vida.

INTRODUÇÃO

O que esperar

Fui criada num lar cheio de guias espirituais de todo tipo. Tomei consciência gradualmente de meus acompanhantes abstratos. Ainda muito nova, fui apresentada a meus guias por minha mãe, que conversava com os dela e com os meus o tempo todo. Ela foi a primeira pessoa a me informar de que eu nunca ficaria sozinha no mundo, porque durante toda a vida teria guias designados para cuidar de mim, me ajudar, proteger e instruir.

Minha mãe conversava regularmente com os próprios guias e muitas vezes quem tomava decisões em nossa casa eram eles, não ela. Ela se referia a eles como "meus espíritos", porque era isso o que eles eram — seres espirituais destituídos de corpos físicos. Ela os consultava sobre todas as questões — desde onde estacionar o carro até o que servir aos convidados no jantar —, e tinha espíritos especiais para todo tipo de tarefa. Havia os espíritos compradores, que a ajudavam a encontrar pechinchas muito necessárias para uma família com sete filhos que vivia do salário de meu pai como comerciário. Havia, também, espíritos costureiros, que a ajudavam a encontrar tecidos e fazer moldes; espíritos de cura, que auxiliavam quando as crianças tinham caxumba; espíritos grupais e de piquenique, que ajudavam a encontrar o lugar ideal na montanha para nossos passeios de domingo; espíritos vendedores, que ajudavam a melhorar os negócios de meu pai; e espíritos pintores, para quem ela apelava quando se concedia um de seus passatempos favoritos — a pintura a óleo. E ainda havia os espíritos romenos e franceses de parentes mortos, que em geral só estavam de passagem.

Nossos guias espirituais tinham um lugar à mesa e participavam da conversa. Eles eram consultados em todos os problemas, pequenos ou grandes, e, quando estávamos em dúvida, em geral a palavra final era deles. Com todos esses espíritos, nossa casa vivia cheia de energia, opiniões, ideias, mas principalmente de amor e de uma segurança profunda que nos vinha do conhecimento de que jamais estávamos sós.

Meus próprios guias me ajudaram nas doenças de infância, disputas familiares e nos problemas escolares; estiveram comigo a cada passo do caminho, embelezando meus dias com constantes milagres que superavam em muito a minha imaginação. Desde que me conheço por gente, sei que posso contar com o amor e o amparo de meus guias, sinto-me protegida por sua vigilância, sou auxiliada por suas sugestões práticas e surpreendida por seus generosos presentes.

Do lado de fora das portas de minha casa, as conversas com o mundo espiritual aconteciam na escola católica que eu frequentava no lado oeste de Denver. Lá, éramos apresentados aos anjos e santos — um para cada dia do ano — e também ao santo pessoal, que compartilhava conosco alguma versão de nosso nome. Além disso, tínhamos Maria, Jesus e o maior de todos os espíritos — o Espírito Santo.

Na infância, íamos à missa toda manhã, acendíamos velas para chamar a atenção de nossos guias espirituais e tínhamos conversas calorosas para implorar a intercessão deles em todas as questões, inclusive auxiliar-nos nas provas, conseguir para nós bons lugares no refeitório e, naturalmente, ajudar-nos a ganhar os jogos de vôlei ou basquete.

No que me dizia respeito, os guias espirituais escutavam: eu conseguia boas notas, costumava ter sorte no refeitório e ganhei um número espantoso de jogos de vôlei. Eu não me limitava a rezar aos protetores espirituais e guias, pedindo ajuda; tinha absoluta certeza de que eles respondiam, e sentia sua ajuda e sua presença. Eu achava que o mesmo acontecia a todo mundo — pelo menos até chegar à quarta série, quando minha melhor amiga, Susie, lamentou não poder ir dormir em minha casa porque a mãe dela havia proibido. Quando sugeri que ela pedisse a ajuda de seus guias para que a mãe mudasse de opinião, ela disse que não sabia do que eu estava falando. Quando expliquei, ela me chamou de esquisita.

Para me defender, perguntei por que ela ia à missa e rezava toda manhã se não havia guias espirituais para ajudá-la. Ela disse que fazia isso porque as freiras obrigavam, e não porque existissem espíritos.

Frustrada, insisti na existência dos espíritos e disse que ela iria vê-los se ficasse quieta e fechasse os olhos, deixando uma brechinha aberta.

— Eles nem sempre parecem pessoas — falei. — Às vezes eles parecem partículas de luz dançando no ar. Ou surgem como um raio de luz branca, como o flash de uma máquina fotográfica. Em certas ocasiões, você não poderá vê-los, mas poderá senti-los, como se o ar ficasse mais espesso em alguns lugares, ou mais fresco e arejado, e às vezes você simplesmente sentirá a presença deles no coração; mas eles estarão lá.

Susie ergueu as sobrancelhas, assobiou e mais uma vez me chamou de esquisita, portanto, não lhe falei de minha guia favorita, Rose, que vivia em cima do meu armário de roupas e era parecida com Santa Teresa, nem de José, o Essênio, que me seguia quando eu ia à escola. Também não falei da guia que vi de pé num canto do quarto dela quando dormi lá — um espírito com a aparência de uma índia americana muito velha e cansada, embrulhada numa rústica manta vermelha e branca; ela sorria para nós enquanto estávamos deitadas.

Deus me livre, se ela me achava esquisita só porque falei de guias, quem sabe o que diria se eu contasse mais! Sem querer arriscar minha precária posição social na escola, achei graça nos comentários dela e sugeri que passássemos a noite em sua casa, em vez de dormir na minha.

A partir dessa ocasião, comecei a perceber que o rico mundo dos espíritos do qual eu recebia tanto conforto era praticamente desconhecido pela maioria das pessoas. Eu ficava triste por perceber que a rua de mão dupla da comunicação que desfrutava com meus guias era para a maioria uma rua de mão única. Embora não tivesse muita certeza sobre as razões pelas quais os outros ficaram tão desconectados do mundo espiritual, tinha certeza absoluta de que eles não estavam tendo vantagem com isso.

Como adulta, cheguei à conclusão de que nossa falta de contato com o mundo espiritual é uma doença da alma no mundo ocidental. A industrialização e o intelectualismo afastaram o centro de nossa percepção do coração — o lugar onde encontramos e nos comunicamos com os espíritos —, levando esse centro diretamente para a cabeça, onde nossos egos nos dominam com ameaças de isolamento e aniquilação. A boa notícia é que, seja qual for o motivo da separação, podemos levar nossa percepção interior de volta ao coração — se quisermos e se não deixarmos que nossa mente nos sequestre completamente. Com um pouco de esforço e cooperação de nossa parte, nossos guias espirituais ficarão felizes de nos mostrar o caminho.

O que esperar?

Para começar, é importante entender exatamente o que podemos esperar quando estabelecemos contato com nossos guias espirituais. Veja, existem no mundo espiritual inúmeros níveis de guias, entidades imateriais e energias, cada um vibrando em sua frequência própria, assim como diversas estações de rádio que enviam simultaneamente sinais diferentes. Não só cada guia vibra na própria frequência, mas cada indivíduo deste planeta também tem sua vibração específica.

Aqueles de nós que vivem centrados no coração têm uma vibração alta, não muito distante das frequências espirituais daqueles que vivem no plano não físico. Isso facilita a conexão com os guias espirituais. Aqueles que esqueceram que somos seres espirituais e se identificam somente com o corpo e a mente têm uma vibração mais baixa, mais distante da faixa de frequência dos guias espirituais, portanto, para eles, é muito mais difícil estabelecer a conexão. Por essa razão, alguns indivíduos têm uma percepção mais clara dos guias.

Se pensarmos sobre isso, tudo no universo é espírito, vibrando em frequências diferentes. Por exemplo, todos sabemos que as partículas atômicas vibram em frequências diferentes, assim como as ondas luminosas. As ondas do oceano têm frequências. Existe até mesmo o ritmo de nossos batimentos cardíacos. Como tudo é um oceano de vibração em movimento, é natural que nós, como seres espirituais, sejamos capazes de entrar em conexão com outras frequências espirituais. Se nos vermos como espíritos, poderemos reconhecer com mais facilidade os habitantes do mundo imaterial.

O mundo espiritual é tão populoso quanto o nosso — multidões de diferentes guias operam o tempo todo em diversas frequências. Consequentemente, há muitos tipos de orientação a que podemos nos conectar: guias que já viveram no mundo físico; membros de nossa família que já foram para o Outro Lado; guias com quem compartilhamos vidas passadas; guias que vêm como instrutores espirituais para supervisionar nossa jornada; agentes de cura que podem cuidar de nossa parte física e emocional; auxiliares que facilitam a vida no dia a dia; espíritos da natureza e elementais que podem nos conectar com a Terra; espíritos animais para mostrar-nos o caminho; até mesmo guias da alegria, que mantêm nosso espírito elevado quando a vida fica muito difícil. E existem anjos, santos, devas, mestres e Deus. E existem até mesmo guias — ou aspirantes a guias — que não estão num nível elevado, são apenas criadores de caso, e que devem ser observados (mais adiante falaremos mais sobre eles).

Infelizmente, também descobri que aquilo que em mim é uma segunda natureza — ter consciência de meus guias e trabalhar com eles — não é familiar para muitos, talvez para a maioria, dos indivíduos a meu redor. É tão triste observar pessoas que, inconscientes do plano espiritual e desligadas de seus guias, lutam contra o medo e o desespero, sentindo-se sós e abandonadas enquanto batalham pela vida sem nenhuma consciência do amparo amoroso dos espíritos à disposição o tempo todo.

Como fui tão abençoada com o amparo de meus guias e percebi isso desde a infância, escolhi como missão na vida ajudar outras pessoas a perceberem os próprios guias. Tal como *eu* fui ajudada, quero que todos saibam que também podem ser ajudados. Não recebo ajuda porque sou especial — ninguém é. Todos somos filhos divinos do universo e cada um de nós conta com um sistema de apoio espiritual que tem o compromisso de tornar nossa jornada pela vida mais fácil e mais bem-sucedida, do nascimento ao instante em que deixamos o corpo físico e voltamos ao espírito. Não ter consciência desse fato nos torna deficientes.

O universo foi projetado para cuidar de nós e guiar todas as suas criaturas. Os pássaros têm radar, os morcegos têm sonar e nós temos guias. Quando despertamos o sexto sentido e aprendemos a nos conectar com nossos guias angelicais, nossa vida naturalmente flui com facilidade e, enquanto fazemos nossa alma crescer, realizamos o objetivo de nossas vidas e tornamos nosso tempo na Terra infinitamente divertido.

Este livro traz diretrizes simples para ajudar os leitores a entrar em contato com seus guias espirituais de modo a poder desfrutar de toda a abundância, o amparo e o prazer a que têm direito.

Somos todos "herdeiros" da Mãe Benevolente e do Deus Pai, e temos o direito de nascença de esperar uma vida abençoada. A chave para receber essas dádivas, porém, é aceitar que podemos ter sucesso por esforço próprio. Precisamos abrir nossos corações e nossas mentes ao amparo amoroso disponível a todos nós. Ao embarcar nessa viagem logo você estará vivenciando apoio, sucesso e bênçãos que vão muito além de sua imaginação mais pretensiosa. Portanto, vamos começar!

Como usar este livro

A intenção deste livro é ensinar como se comunicar diretamente com seu sistema de apoio espiritual por meio da conexão com os inúmeros ajudantes celestiais disponíveis a cada alma em sua jornada. Vou ensinar-lhes quem eles são, de onde vêm, como querem ajudá-lo, como você pode se comunicar facilmente com eles e como pode entender melhor a forma pela qual eles se dirigem a você.

Você tomará conhecimento do mundo do espírito gradualmente para que possa expandir sua sensibilidade a ele de uma maneira confortável e natural. Em cada capítulo, darei descrições dos guias, explicarei suas diferenças, contarei histórias sobre como cada guia me ajudou ou ajudou outras pessoas e darei exercícios diários que podem ser usados para fortalecer sua conexão direta com seus próprios guias de uma forma sólida e prática.

Apresentarei um guia de cada vez para que você possa sentir como experimentar a energia e a influência deles; então você terá sua chance de experimentar várias práticas intuitivas que lhe darão uma conexão direta com cada tipo de guia. Essa abordagem treina o leitor a pensar como um indivíduo consciente da espiritualidade e dotado de seis sentidos; ela permite que seus guias espirituais o ajudem na criação de uma vida sem estresse e sem medo.

Estrutura do livro

Este livro está organizado em seis seções ou temas, começando pelas ferramentas básicas para se tornar sensível ao mundo do espírito. Depois de dominar essas ferramentas, você aprenderá a preparar seu corpo para entrar em sintonia com a energia sutil e, então, será apresentado gradualmente a domínios de assistência espiritual específicos, cada vez mais elevados e mais sutis. Vou mostrar-lhe como entrar em contato com seus guias e trabalhar com eles e, em seguida, vou ensinar como viver uma vida orientada pelo espírito.

Considere isso um curso ou treinamento como uma aula de música. Primeiro você aprenderá as notas do reino dos espíritos, depois as melodias da orientação espiritual e, finalmente, a composição e orquestração do viver com seis sentidos, divinamente guiado e criativo. Ao se permitir ser divinamente guiado, você entrará no fluxo da vida e começará a experimentar a mágica desse magnífico universo.

Use este livro em seu próprio ritmo e trabalhe com seus guias dando um pequeno passo de cada vez. Leia diversas vezes cada capítulo, se assim desejar; então, depois de alguns dias, faça os exercícios sugeridos e veja o que acontece. Cada capítulo se fundamenta no anterior, proporcionando-lhe, aos poucos, uma fundação sólida para reconhecer a orientação espiritual e ajudando-o a confiar sem dificuldade e naturalmente em seus guias, qualquer que seja a sua experiência.

Pense neste livro como um passeio guiado ao mundo espiritual, no qual sou uma experiente guia turística. Como trabalhei com guias espirituais a vida toda (e também durante mais de trinta anos ensinei a outros a comunicação com os próprios guias), conheço muito e estou muito à vontade no mundo espiritual. Agora é sua vez de aprender o que eu sei.

Quando se decide trabalhar com seus guias espirituais, você muda as regras que governam sua vida, tornando-a mais fácil. Por meio das práticas sugeridas, você começa a sentir o apoio que o universo tem para você. Embora todos nós tenhamos o *potencial* para sermos guiados, não basta querer essa orientação. Assim como assistir a vídeos de exercícios físicos não nos dá um abdome definido, *saber* da existência de seus guias e *querer* ser guiado não abre plenamente essa porta. A não ser que convide numa base diária e ativamente seus guias para ajudá-lo, você irá bloquear a poderosa orientação interior que eles oferecem.

No início poderá parecer estranho ficar tão focalizado no Outro Lado, mas, se insistir nisso, logo você apreciará o processo — afinal, os guias são divertidos e têm um excelente senso de humor. Não hesite em pedir-lhes ajuda, pois eles estão aqui para nos servir.

Preste atenção a todos os indícios sutis que surjam em sua percepção, e não espere até que se apresente uma versão espiritual de Elvis Presley, dispensando todo o resto. A orientação espiritual é sutil, portanto, cabe a você elevar sua percepção o suficiente para reconhecer e aceitar a ajuda que os guias oferecem. Se você praticar regularmente a conexão com os diversos guias, logo terá prova de que eles estão de plantão e verá sua vida assumir uma qualidade mágica.

Aprender a aceitar ajuda será a parte mais difícil, pois estamos condicionados a lutar — nós até mesmo consideramos essa luta glamorosa. Contudo, uma vida orientada por espíritos suaviza a luta. Portanto, antes de começar, pergunte a si mesmo: "Quanta coisa boa consigo suportar?" Na qualidade de um ser dotado de sexto sentido que adora viver uma vida espiritualizada, você deve responder: "O máximo possível" — e não vai demorar muito para desfrutar dos benefícios e do amparo a que tem direito. Se sua abordagem para conectar os guias incluir um coração aberto e sincero, eles responderão. Na verdade, não vai demorar muito para que as pessoas a seu redor comecem a perguntar qual é o seu segredo para ter uma vida tão maravilhosa!

Como seres espirituais, somos pessoalmente amados e amparados por nosso Criador. Nunca estamos sós, nunca enfrentamos mais do que podemos suportar, sem receber tudo que é necessário para alcançar sucesso. Queremos nos colocar acima das lutas terrenas e viver uma vida de graças e fluidez, pois sabemos intuitivamente, do fundo de nossas células, que podemos conseguir isso. Como fazê-lo é simples: pare de resistir e comece a perceber o apoio amoroso que seus guias e o mundo espiritual podem oferecer. Eles adoram ajudar e servir... Portanto, deixe que o façam.

PARTE I

Bem-vindo ao mundo dos espíritos

Capítulo 1

Para começar, conheça seu espírito

Antes de começarmos a reconhecer a presença de nossos guias espirituais, precisamos tomar consciência de nosso *próprio* belo espírito. Aprender a se ver assim pode ser um conceito totalmente novo, mas essa é a verdade sobre quem você é — quem todos nós somos.

Quando eu era criança, minha mãe muitas vezes se referia aos filhos como espíritos e dizia o mesmo de si. Com frequência, durante uma conversa qualquer ela perguntava: "O que seu espírito quer?" ou "O que seu espírito está dizendo?". Saber que eu era um espírito facilitava muito estabelecer a conexão com os espíritos, deste e de outros planos, que podiam me ajudar. Cresci vendo a mim e aos outros dessa maneira e facilmente aceitei esse princípio — mas o poder dessa verdade nunca ficou tão evidente quanto no nascimento de Sonia, minha filha mais velha.

Lembro-me de que, quando chegou a este mundo, ela era totalmente calma e serena, quase como um Buda. No início Sonia ficou imóvel, ligeiramente azulada, mas em seguida, num movimento poderoso, respirou pela primeira vez e com uma tremenda força, de repente, se tornou viva. Sua cor mudou para um rosa brilhante, e ela soltou um grito para dizer ao mundo que tinha chegado. Ali mesmo, diante dos meus olhos, a alma dela entrou no corpo, trazendo-lhe a vida naquela respiração. Desde então, não consigo olhar para um ser humano, nem mesmo para mim, sem pensar que nós também tivemos um momento como aquele. Reconhecer que é esse espírito o que lhe dá vida ajuda a apreciar a força notável que *você* é.

Embora todos nós compartilhemos o mesmo sopro eterno de vida, ele se manifesta de forma diferente em cada um. Seu espírito tem a própria presença — uma vibração inigualável e inteiramente diferente de sua personalidade (que, em grande parte, é construída em torno do espírito como um escudo de defesa). A melhor forma de se conectar com o próprio espírito é começar a reconhecer o que faz você se tornar vivo.

Comece por explorar como é na verdade o seu espírito inigualável. Como você descreveria a força eterna, ardente, que se chama *você*: ela é gentil, passional, autoritária, hesitante, criativa, tímida ou brincalhona? Em que aspecto de sua vida você se sente mais competente? Que atividades são tão atraentes para você que o fazem esquecer-se de si mesmo? O que eleva e inspira sua alma?

Em seguida, comece a observar o que *nutre* seu espírito. Isso é, que experiências, atividades e energias o animam, fortalecem e alimentam seu núcleo, dando-lhe o sentimento de satisfação, contentamento com a vida e conforto na própria pele? O que o encanta e surpreende? O que o atrai para a vida, ajudando-o a recebê-la de braços abertos? O que lhe traz paz interior?

Por exemplo, eu sou nutrida por música clássica, tecidos bonitos e perfumes com aroma exótico. Meu espírito adora a natureza, principalmente as montanhas; o odor dos pinheiros; viagens exóticas; falar francês; bazares egípcios e passeios de riquixá por Nova Déli. Ele também floresce quando conta histórias, fala aos outros de seus espíritos e, mais que tudo, quando dança. Todas essas atividades expandem meu sentimento de identidade e me deixam contente, realizada e estabilizada.

O espírito de meu marido é muito diferente do meu — ele adora ação, movimento e muitas atividades. Ele adquire vida quando dá uma longa volta de bicicleta, faz uma caminhada em meio à natureza no verão ou esquia montanha abaixo a toda velocidade. O espírito dele também é sensual, porém mais estruturado que o meu — os cheiros e as visões de um quiosque de fazenda à beira da estrada, do mercado de especiarias no bairro indiano de Chicago, onde vivemos, ou de baldes de peixes frescos no mercado da cidade fazem o espírito dele alçar voo de satisfação.

Observe o que fortalece e alimenta seu próprio espírito inigualável, prestando especial atenção ao grau de sensibilidade e percepção que tem dele. Você o alimenta com as experiências de que ele necessita para crescer?

Recordo uma leitura que fiz para uma mulher chamada Valerie, que sofria de grave depressão, fadiga e, em minha opinião, de extremo tédio espiritual. Consequentemente, ela era incapaz de passar um dia inteiro sem entrar em colapso por exaustão. Sem saber que doença misteriosa causava tanta perda de poder, em busca de respostas ela procurou todo médico, curandeiro e médium disponível, e fez exames para todo tipo de doença, desde hipotireoidismo, doença de Lyme e envenenamento por mofo ou metais até infecção pelo vírus Epstein-Barr, só conseguindo resultados negativos e nenhuma resposta concreta.

Em desespero, ela me chamou. Imediatamente identifiquei seu problema: ela sofria de um caso grave do que eu chamo de "anorexia psíquica", ou inanição espiritual. Os guias dela me mostraram que no fundo ela era uma artista ou musicista, um espírito que amava criar belas músicas e jardins encantadores. Ela era uma pessoa contemplativa cuja alma florescia em períodos de meditação e prece. Seu espírito era delicado e precisava da companhia de animais, da beleza das flores e de uma vida calma, modesta e estável na natureza.

Anos antes, Valerie vivenciara tudo isso em uma pequena cidade de Wisconsin e fora muito feliz e saudável até se casar com o namoradinho da adolescência, que trabalhava como mecânico de aviões. Por ambição, ele regularmente se candidatava a novos empregos. Desde que se casou com esse homem, Valerie mudou-se seis vezes em cinco anos, principalmente para as cidades grandes onde o casal dividia pequenos apartamentos com estranhos porque não tinha dinheiro para alugar um espaço só deles. O espírito do marido gostava de aventuras e agitação, mas o dela estava em choque e agonizante.

Por dedicação ao marido, minha cliente perdeu a conexão consigo mesma, e sua energia esgotou-se completamente. Os guias disseram que ela precisava voltar para uma vida calma e natural, evitando todas as mudanças abruptas e repentinas a que havia sido submetida — e isso bastaria para reviver seu espírito e curar seu corpo.

— Quer dizer que devo me divorciar dele? — perguntou Valerie quando lhe contei tudo isso.

Sem querer tomar essa decisão, respondi:

— Só estou dizendo que você deve se tornar mais consciente do que nutre sua alma e fazer o que for necessário para ficar melhor.

O mais curioso sobre nosso espírito é que tudo em nós fica mais calmo e claro quando nos tornamos sensíveis e decidimos prestar atenção a ele. Valerie ouviu o que eu disse, concordou comigo e escutou o próprio espírito pela primeira vez em muitos anos. Ela se mudou para longe do marido, voltando para um ambiente calmo e natural, onde podia ter animais, caminhar na natureza, relaxar a sós e praticar piano. O marido não se divorciou dela — em vez disso, trabalhava turnos de dez dias em Nova York e depois voltava para Wisconsin, durante quatro ou cinco dias, retornando depois a Nova York. Como Valerie adorava ficar só e ele amava aventuras, o arranjo funcionava muito bem. Gradualmente, à medida que restaurava o espírito, ela recuperou a força, provando que seus guias estavam certos quando a dirigiram de volta ao que lhe fazia bem.

Quando pergunto, muitos de meus clientes admitem que dedicam pouco tempo para nutrir e cuidar do espírito, e que simplesmente levam a vida com um sentido de dever e responsabilidade. Eles têm a sensação de *tolerar* a vida, em vez de *vivê-la* — e nem pensar em desfrutá-la!

Se *você* se sentir assim, saiba que também ficou endurecido e insensível a seu espírito e, consequentemente, isolado do mundo espiritual e de todas as suas benesses.

Em nossa cultura puritana, na qual os indivíduos são educados desde a infância para dar prioridade aos outros e chamar de "egoísmo" qualquer interesse pessoal e cuidado consigo, é fácil entender como esse tipo de embotamento pode acontecer. Enquanto você não reverter essa atitude debilitante, seu espírito sofrerá, e você ficará impermeável à orientação do mundo espiritual.

Você sabe como nutrir seu espírito? Experimente...

- Ouvir música inspiradora.
- Cantar.
- Tomar longos banhos de banheira com sais perfumados.
- Meditar.
- Decorar a casa com flores frescas e vasos de plantas.
- Não fazer nada.
- Sair para caminhar.
- Encher o quarto de velas e almofadas macias.
- Ler revistas sobre viagens para lugares exóticos.
- Colocar o corpo para malhar.
- Rezar.
- Fazer tudo mais devagar.
- Rir.

Seu primeiro dever de casa é alimentar e cultivar seu espírito. Se você estiver desconectado e insensível ao espírito, é muito provável que também esteja desconectado de qualquer tentativa de contato com seus guias. Comece por prestar muita atenção à sua vida diária, reconhecendo os momentos em que se sente totalmente envolvido e em paz. O que você está fazendo? Focalize-se nas atividades que lhe dão uma sensação de contentamento e satisfação — melhor ainda, observe quando ri ou sente o coração e o corpo leves. Esses são os momentos em que sua alma está inspirada e essas são as experiências que abrem seu acesso ao mundo mais vasto dos guias espirituais. Preste muita atenção e seja muito honesto quanto a seus sentimentos quando está sensibilizado para seu espírito, porque responder a ele e atender suas necessidades fará você se sentir satisfeito e em paz.

Algumas pessoas conhecem claramente as necessidades do espírito, portanto, siga em frente e comece a atendê-las. Por exemplo, se você ama a natureza, um passeio sem culpa, uma corrida dentro de um parque ou algumas horas no jardim uma vez por semana podem ser suficientes para nutrir e restaurar o espírito. A expressão-chave neste caso é *sem culpa*. Se você adora fazer compras e explorar lugares exóticos, passar algumas horas num bairro diferente vendo lojas pouco familiares será suficiente. Você não precisa comprar nada — apenas curta a aventura sem se desculpar por ter usado algum tempo consigo mesmo. E não tenha medo de criar o caos em sua vida por alimentar seu espírito... Quando se trata de ter sensibilidade e ser receptivo ao próprio espírito, um pouco pode ser muito.

É nesse momento inicial, quando responde a seu espírito, que você encontrará pela primeira vez seus belos guias e companheiros. Minha mãe, por exemplo, adorava costurar e passava muitas horas de calma e reflexão no quarto de costura, onde sentia a conexão com seus guias — e até mantinha longas conversas telepáticas com eles. Na verdade, quanto mais ela alimentava o próprio espírito e sentia paz, mais fácil era o contato com as energias sutis daqueles espíritos.

Se você tem vivido tão desconectado de seu espírito que não sabe por onde começar, não se preocupe. Se estiver genuinamente receptivo à ideia de recuperar a conexão, só precisará de um pouco de exploração para se lembrar. A chave para dominar esses poderosos exercícios que alimentarão sua alma é perceber que não existe uma forma correta de conectar-se com seu espírito — você só precisa ser interessado, curioso, sensível e, acima de tudo, receptivo ao que nutre sua essência. Alimentar seu espírito regularmente o ajudará a ter mais consciência do espírito em todas as coisas, o que abre os portões para se conectar com seus guias espirituais e ser amparado por eles.

Agora é sua vez

Semanalmente, reserve um período de 15 a 20 minutos para responder somente a si mesmo. Durante esse período, deixe-se desfrutar de um interesse querido como tocar piano, passar algum tempo no jardim ou simplesmente sonhar acordado em frente a uma xícara de chá — sem culpa. Gradualmente, acrescente mais um período livre, passando a desfrutar desse tempo duas vezes por semana e, depois, mais vezes. Talvez você precise se lembrar de ver esse período como um tempo valioso, principalmente se não estiver habituado a fazer coisas para si mesmo ou reservar tempo para ser sensível a seu espírito.

Você também pode precisar ensinar a outras pessoas — por exemplo, seus familiares e, em especial, crianças pequenas que podem estar acostumadas a sua disponibilidade quando você está em casa — que esse é um período importante e deve ser respeitado. Sei que isso pode parecer muito difícil, mas se você abordar essa ação em intervalos curtos de 15 minutos, todo mundo se ajustará com facilidade... até mesmo você.

Talvez toda manhã, quando estiver no chuveiro ou se preparando para o dia, você possa tentar reservar alguns minutos e preencher a lacuna na seguinte proposta: "Se não tivesse medo, eu..."

Por exemplo:

"Se não tivesse medo, eu tiraria folga aos domingos para relaxar."

"Se não tivesse medo, usaria sapatos mais caros."

"Se não tivesse medo, telefonaria com mais frequência para minha mãe e diria que a amo."

Faça isso em voz alta e deixe que seu coração — a sede de seu espírito — fale livremente sem censura. Após algumas sessões, ele mostrará exatamente o que nutre e fortalece você.

CAPÍTULO 2

Como entrar no vasto mundo do espírito

Uma vez tendo ativado a percepção de seu espírito, o próximo passo para entrar em contato com seus guias é ficar atento e sensível à energia espiritual das pessoas e coisas vivas ao seu redor. Afinal, a física quântica nos diz que acima das aparências tudo no universo está composto de pura consciência, vibrando em diferentes frequências — as coisas físicas apenas *parecem* ser sólidas e isoladas; na verdade, elas são só energia, que se move tão depressa que cria uma *ilusão* de solidez.

Há muitos anos, quando eu era estudante das artes da mediunidade e da cura, o Dr. Trenton Tully, meu professor e mentor, me disse que as qualidades físicas são a fonte menos precisa de informação e que nunca devemos confiar apenas nelas para chegar a conclusões e tomar decisões. Esse conselho me ajudou a abrir os olhos para ver o que é real e verdadeiro e remover o véu entre os mundos físico e não físico.

O mundo espiritual vibra num nível totalmente diverso daquele do mundo físico; ele não pode ser registrado pelos olhos, é mais sentido e experimentado pela mente quando começamos a exercitar a percepção e prestar atenção. Para entrar em sintonia com essas vibrações, comece por tomar conhecimento das energias incomparáveis que o cercam. No início, fazer isso pode parecer estranho, porém, com um pouco de imaginação e concentração, ficará surpreendentemente mais fácil. Comece com as pessoas mais próximas de você, como aquelas com quem você vive ou trabalha diariamente, anotando qualquer particularidade que consiga identificar e que torne um indivíduo diferente do outro.

Para se conectar com a energia das pessoas que o cercam, simplesmente feche os olhos e deixe sua atenção sair da mente para o coração. (Os leitores dotados de empatia natural saberão imediatamente a que me refiro porque, provavelmente, já se sintonizam naturalmente com as vibrações da vida a seu redor, embora talvez ainda não tenham uma percepção clara de que essas vibrações são espíritos.) Em seguida, focalize-se num indivíduo específico e deixe-se sentir a vibração dele — e também a vibração dos espíritos guias daquele indivíduo. Descreva o que sente, de preferência em voz alta, já que, quanto mais você expressar verbalmente essas sensações, mais amplificada será sua percepção delas.

Por exemplo, eu descreveria o espírito de minha filha Sonia como delicado e sensível. Ela pode ser resistente a mudanças, o que a torna fixada e naturalmente aterrada e sólida. A alma dela é forte, envolvida e calma, embora possa se tornar feroz se as circunstâncias exigirem. Minha familiaridade com o espírito dela me permite reconhecer sua vibração específica aonde quer que eu vá.

Certa vez, eu estava olhando as novidades numa loja de departamentos quando senti a proximidade de minha filha — embora soubesse que ela fora passar o fim de semana com uma amiga e não teria motivos para estar no shopping. Minha sensação da presença dela era tão forte que me virei para ver se ela estava atrás de mim. Como não estava, continuei a olhar as peças até cinco minutos depois, quando ouvi a voz dela. Eu me virei, e lá estava ela. A mãe da amiga trouxera as duas ao shopping para ver um filme, e elas decidiram caminhar pela loja para fazer hora até o início da sessão. Assim como senti a presença dela, a familiaridade dela com meu espírito lhe disse que eu estava por ali também.

Sentir os espíritos dos outros e do mundo em geral permite que aspiremos a novos níveis de experiência positiva. Por exemplo, minha cliente Harriet uma vez me disse que nunca lhe ocorreu pensar em si mesma como um espírito, mas que achava o conceito atraente porque continha uma promessa de trazer cor e emoção à sua existência monótona. Embora fosse hesitante no início, ela aceitou meu conselho e começou a tentar ver mais do que os olhos percebem.

Harriet tinha 67 anos e ficou solteira durante mais de trinta anos, por causa de um casamento infeliz; ela trabalhava meio período como secretária de um corretor de seguros. Harriet se sentia limitada e à margem da existência. Queria localizar quais mudanças seriam necessárias para criar mais emoção e satisfação em sua vida, e assim começou por observar que o espírito do patrão lhe parecia insípido e pesado, e que essa energia depressiva a afetava. Por outro lado, ela sentia que o espírito de um vizinho dela era comunicativo, caloroso e extremamente brilhante — algo que ela não havia notado nos três anos em que conhecia aquele vizinho.

A atração que Harriet sentia pela energia positiva do vizinho a inspirou a puxar conversa, e ele prontamente correspondeu. Depois de várias conversas animadas — inclusive uma em que ela mencionou como o espírito dele era agradável — o vizinho a convidou para fazer parte de um clube de bridge que se reunia no apartamento dele duas vezes por mês. Foi lá que ela conheceu e foi contratada por um dentista que precisava de uma recepcionista para administrar seu vasto consultório no centro da cidade. Quando ela perguntou por que o dentista teve o impulso de contratá-la, ele confessou que gostava do espírito dela!

Graças ao simples ato de perceber a energia dos outros, Harriet passou a fazer novas amizades e conseguiu um novo emprego em apenas dois meses. Ao ampliar a percepção, primeiro para o próprio espírito e depois para o de outras pessoas, ela gravitou para uma situação maravilhosamente apoiadora que trouxe as mudanças positivas pelas quais procurava.

Já tive turmas em que pedi aos alunos para descreverem o espírito uns dos outros, e a reação inicial deles foi entrar em pânico. Isso é normal se o "vasto mundo do espírito" é novo para você, portanto, relaxe e pense nessa experiência como uma aventura emocionante, e não um teste metafísico. O curioso é que, mesmo que sua cabeça o deixe na mão, com um pequeno incentivo, seu coração (o qual, você sabe, é a sede de seu espírito) falará e registrará energias e vibrações que você costuma ignorar.

Claire, uma de minhas alunas, ao praticar esse exercício descreveu o espírito de uma colega de trabalho mais velha e "muito conservadora" como surpreendentemente sensual — descobrindo que embaixo do terninho fechado da colega se escondia uma mulher que há muitos anos dançava flamenco todo fim de semana.

Você sabia que...

... o melhor de aprender a ver o espírito em toda parte é que isso torna seu mundo mais vivo e faz com que seu coração e sua imaginação fiquem criativos em tempo integral? Ver o mundo pelos olhos do espírito também nos faz começar a ver as conexões ocultas, as oportunidades e o apoio que estão disponíveis diante de nossos olhos. Com tanta receptividade, falta apenas um pequeno salto para nos conectarmos com os planos não físicos e com nossos guias espirituais!

— Quem diria? — comentou Claire, sorrindo. — A julgar pelas aparências, eu nunca teria imaginado!

Ao se conectar com o espírito de sua discreta e tranquila colega de trabalho, minha aluna pôde desfrutar de um dos principais benefícios do vasto mundo do espírito: deixou o próprio espírito encontrar ao seu redor espíritos afins, enriquecendo sua vida — e até mesmo que ela a levasse para dançar flamenco de vez em quando!

Outro método de ampliar a percepção é distinguir as diferentes energias de seus animais de estimação. Você pode sentir e identificar o espírito de seu cachorro, gato ou até mesmo peixe?

Sei, por exemplo, que o espírito de Miss T, minha poodle, é muito sensível, bem-humorado e bastante orgulhoso. Ela fica infeliz quando está malcuidada e precisando de uma tosa, e fica deliciada quando sai do pet shop depois de um xampu e um bom corte. Por outro lado, Emily, a cadela da casa ao lado, tem um espírito muito menos exigente — na verdade, ela não poderia se preocupar menos com os cuidados, é muito aventureira e está sempre pronta para correr e brincar. Seu espírito é brincalhão, inquieto e muito mais seguro de si que o de minha poodle.

Nos vinte anos em que venho perguntando às pessoas sobre o espírito de seus animais de estimação, nunca encontrei alguém que não fosse capaz de descrevê-lo com exatidão — com muito mais exatidão, na verdade, do que o espírito de muitos dos humanos que fazem parte de suas vidas. Talvez isso aconteça porque os animais de estimação são muito amorosos e aceitam nossas almas; portanto, também ficamos mais conscientes e sensíveis às almas deles.

Agora procure expandir ainda mais sua percepção e veja se pode perceber o espírito de suas plantas domésticas e do jardim. Você percebe uma diferença entre o espírito de uma planta saudável e o de uma planta que está morrendo? E a diferença entre o espírito de uma orquídea e de um lírio, ou de uma planta no vaso e uma que cresça livremente? Talvez sua mente rejeite essas tentativas por achá-las tolas, mas esteja certo de que não está inventando quando presta atenção ao nível espiritual de qualquer coisa e de todas as coisas.

Com um pouco de atenção e prática, todos os seus sentimentos podem ser treinados para ter acesso aos planos de energia sutil do mundo espiritual, o que o fará desfrutar de todos os aspectos de sua vida de uma nova maneira. Por exemplo, lembro-me de na universidade ter participado de um curso de música, o que me levou a um avanço incrível na percepção em poucas semanas. Eu sempre adorei ouvir música, mas em geral os instrumentos se misturavam numa massa sólida de som e ritmo. No entanto, à medida que o curso dirigiu minha atenção para as sutilezas do que estava sendo tocado, comecei a identificar instrumentos e ritmos diferentes, o que me fez apreciar as composições com muito mais profundidade e gratificação.

O mesmo aconteceu quando fiz um curso de culinária francesa. Sempre amei a cozinha francesa, principalmente os molhos deliciosos que fazem sua fama. No entanto, antes de fazer o curso, nunca fui capaz de distinguir as sutilezas dos temperos e ingredientes saborosos que deixam os molhos extraordinários. Subitamente, adquiri um novo nível de apreciação e percepção dos diferentes sabores dos alimentos, o que transformou o fato de desfrutar da culinária francesa em uma experiência muito mais sofisticada e gratificante. Minha nova percepção me impediu de continuar a engolir qualquer coisa sem prestar atenção a sua energia e vibração.

Você pode alcançar resultados semelhantes treinando-se para identificar as energias de tudo à sua volta e para sentir as vibrações com o coração. Com esforço e atenção poderá sentir a delicada doçura de um bebê, em vez de ver apenas a carinha suja; perceber o entusiasmo caloroso de um filhote de pastor-alemão, em vez de limitar-se a ouvir seu rosnado; sentir o sólido estoicismo de um carvalho, em vez de ver apenas sua gigantesca forma. No início talvez você sinta que está pescando em águas desconhecidas, mas com o tempo a sintonia com o espírito do mundo ao seu redor se transforma numa segunda natureza. Como os cursos de culinária ou de música que fiz, essa prática fará você se sentir muito mais harmonizado com seu ambiente.

Agora é sua vez

Comece a sentir o espírito de todos e tudo ao seu redor e veja se consegue colocar em palavras a sensação da energia espiritual desses seres e objetos.

Se você for o tipo de pessoa que tende a ficar preso no cérebro e desconectado do seu centro de sensações, no início isso pode parecer um pouco estranho, portanto, comece por descrever os espíritos dos outros em termos simples como "leve", "pesado", "rápido", "estável", "brilhante" ou "opaco". Deixe seu coração expressar-se enquanto sua imaginação dirige a experiência e não censura suas impressões. O que se procura aqui é passar ao largo do cérebro e deixar os sentimentos borbulharem diretamente do coração para a boca. Você pode chegar até a dizer palavras que não registra conscientemente.

Agora que foi apresentado ao mundo do espírito, vamos seguir adiante e conhecer os guias espirituais mais básicos: seus anjos.

PARTE II

Anjos: nossos principais companheiros espirituais

CAPÍTULO 3

Anjos guardiães — seus guarda-costas pessoais

Uma vez consciente do espírito em todas as coisas, você começará a ver o universo como um lugar belo, protetor e positivo, onde tudo e todos recebem cuidados e amor... inclusive você. Assim como todos os seres têm espíritos que os protegem, você também tem seu próprio sistema metafísico de apoio que consiste de muitos níveis diferentes de entidades e forças espirituais. O primeiro grupo de companheiros enviados para ajudá-lo são os anjos e, em particular, seu anjo guardião pessoal.

Os anjos guardiães são muito importantes para os seres humanos porque são os únicos espíritos ligados intimamente a nós do início ao fim de nossas vidas. Eles cuidam de nós, nos guiam e nos cultivam — mantendo em segurança nossas mentes, nossos corpos e nossas almas até que estejamos prontos para retornar ao espírito —, quando eles pessoalmente nos levam de volta ao céu.

Existem várias teorias sobre a forma pela qual nossos anjos guardiães estabelecem a primeira conexão conosco. Alguns acreditam que isso ocorre na concepção, outros, no nascimento, e ainda há quem pense que é quando rimos pela primeira vez. Não posso falar por todos os anjos, mas posso afirmar que em meu trabalho como médium eles sempre apareceram para anunciar um novo bebê, portanto, sinto que eles começam a ligação conosco na concepção (e com muita frequência tornam a aparecer nove meses depois!).

Lembro-me claramente de quando minha primeira filha nasceu; eu estava tão envolvida em simplesmente olhar para ela que nos primeiros três minutos nem sabia se o bebê era um menino ou uma menina. Então, de repente, ouvi uma voz desconhecida perguntar: "E aí, é menino ou menina?". Quando olhei para cima, vi diretamente atrás do meu marido, Patrick, um lindo rosto cercado da luz mais brilhante; o rosto sorria para nós com tanto calor e emoção que fiquei calma na mesma hora.

Olhando para o bebê em busca da resposta, exclamei: "É menina!" Ao olhar novamente, vi que a luz havia desaparecido. Acreditando que aquele rosto maravilhoso pertencia a uma das enfermeiras, passei os olhos pelo quarto procurando por ela. Contudo, naquele exato segundo minha filha chorou; exausta, excitada e tomada pela emoção de receber minha nova filha, esqueci completamente a enfermeira. No mesmo dia, depois de recuperar um pouco de compostura, contei a experiência a minha médica e perguntei quem era a enfermeira e para onde ela fora.

— Ah, sim, também gostei dela — respondeu a médica. — Eu nunca a tinha visto por aqui, deve ser nova.

No dia seguinte, quando passou para me ver no momento em que eu estava pronta para ir embora e voltar para casa, a médica disse:

— A propósito, perguntei por aí e ninguém tem informação dessa nova enfermeira sobre quem você perguntou. Nem sequer temos registro da presença dela durante o parto.

Quando ouvi isso, um arrepio subiu pela minha espinha até o topo da cabeça e voltou, e juro que naquele exato momento minha filha recém-nascida sorriu. Eu soube então que o anjo guardião dela estava conosco. Cheia de autoconfiança, pronta para embarcar na nova aventura da maternidade, olhei para Patrick e disse: "Vamos para casa."

Você sabia que...

... os anjos são uma força dominante em todas as tradições e provavelmente são uma das poucas coisas com que todas as religiões concordam?

... os cristãos têm sete arcanjos principais, enquanto o islamismo reconhece quatro?

... no judaísmo, Metatron é o maior de todos os anjos?

... os anjos, em geral, são mencionados na Bíblia trezentas vezes?

Para se conectar com seus anjos, você precisa abrir mão da resistência intelectual, aceitar a presença deles e entender que só você precisa acreditar na existência dessa conexão entre você e eles. Contudo, como os anjos são os guias espirituais mais universalmente aceitos, em geral você pode abordar a questão com qualquer pessoa, confiante de que essa pessoa será receptiva. Na verdade, quanto mais gente estiver envolvida na conversa, maior a chance de que pelo menos algumas pessoas admitam ter um anjo pessoal (mesmo correndo o risco de serem consideradas malucas!).

Já foram relatados milhões de observações de anjos, e é muito provável que você tenha passado por um encontro com um anjo pessoal, mesmo que tenha medo de chamá-lo assim. Pergunte a si mesmo se alguma vez experimentou um incidente do tipo "quase desastre" ou se por alguma estranha intuição foi poupado de algum tipo de trauma. Recorde como tudo aconteceu e como você se sentiu. Você pode ter certeza de que, por mais sutil que a experiência tenha sido, havia um anjo de plantão ajudando-o a escapar.

Pouco depois do 11 de Setembro, fui convidada para conversar com um grupo de advogadas de Washington, D.C. Várias delas haviam trabalhado no Pentágono. O fato de eu ser médium já ameaçava bastante a zona de conforto dessas profissionais, e nenhuma delas ousava admitir publicamente ter passado por uma experiência pessoal de sexto sentido. Embora muitas dessas mulheres fossem visivelmente fascinadas pelo assunto, era claro que admitir qualquer percepção do mundo invisível (e, pior ainda, do mundo espiritual) era uma ameaça a seu senso de segurança profissional. No entanto, quando mencionei anjos, o humor delas mudou imediatamente. Por toda a sala mãos se levantaram quando perguntei se alguém já havia encontrado um anjo; inúmeras mulheres contaram como haviam sido pessoalmente salvas das consequências fatais do ataque terrorista pela intervenção do anjo da guarda.

Gloria, que trabalhava no exato local do Pentágono que foi atingido, declarou que naquela manhã parou para encher o tanque de gasolina do carro, e o frentista era tão comunicativo e amável que ela passou quase vinte minutos conversando com ele antes de se despedir. Aqueles vinte minutos foram responsáveis pelo atraso que salvou a vida dela. Quando voltou no dia seguinte para agradecer ao frentista, ele não estava lá... e ninguém conhecia a pessoa que ela estava procurando.

Kate relatou uma experiência semelhante no Starbucks. Atrasada, como de hábito, ela entrou para pegar a dose diária de café e colidiu com um jovem muito atraente que estava saindo, derramando café por toda a roupa dele. Pedindo desculpas, horrorizada, Kate tentou limpar a roupa do rapaz. Ele era muito bem-humorado e disse três vezes: "Não se preocupe. Eu provoquei este acidente para você andar mais devagar e aproveitar mais a vida." O incidente fez com que ela também se atrasasse para o trabalho, sendo salva do horror que estava acontecendo nesse meio-tempo.

No dia seguinte, Kate voltou ao Starbucks e perguntou ao empregado que a ajudou a limpar a roupa do rapaz se aquele era um cliente habitual. O empregado disse que nunca havia visto o rapaz e comentou que, dadas as circunstâncias, ele fora excepcionalmente gentil, o que a convenceu imediatamente de que o rapaz era um anjo.

Talvez essas mulheres quisessem falar com tanta franqueza sobre suas experiências com anjos porque ainda era recente o choque causado pelos acontecimentos do dia 11 de setembro, o que as tornava menos defensivas. Mesmo assim, o número de mãos erguidas quando perguntei sobre anjos mostra claramente que esse tipo de contato é muito mais frequente do que as pessoas imaginam. Não fiquei nada surpresa por ver essas confirmações, uma vez que uma das principais tarefas dos anjos é nos proteger até que tenhamos realizado o que viemos fazer aqui; os anjos guardiães dessas mulheres haviam, literalmente, salvado as vidas delas.

Ao longo de nossa existência, nossos anjos da guarda também trabalham com nossos espíritos e com nosso Eu Superior para nos manter na trilha, principalmente quando somos tomados pela dúvida. Por exemplo, minha cliente Lisa namorava um rapaz havia três anos quando ele a trocou pela melhor amiga dela. Lisa sofreu mais do que em qualquer situação anterior de sua vida. Um dia, quando estava na fila do correio antes de ir para o trabalho, ela começou a conversar com um homem mais velho e muito gentil. Ele declarou que ela era uma pessoa muito bonita e algum dia seria uma excelente parceira para alguém. Sentindo-se animada, Lisa olhou em torno e procurou por ele do lado de fora para agradecer, mas ele não estava mais por ali. Ao caminhar para o carro, ela sentiu que ele poderia muito bem ser um anjo colocado na fila apenas para falar com ela.

Se você estiver realmente mergulhado na própria cabeça e se sentindo sem conexão com os seus espíritos, simplesmente faça todo dia um inventário das bênçãos recebidas e verá do que estou falando, porque muitas delas foram orquestradas por seus anjos. Treine sua mente para perceber como a sorte o beneficiou diariamente e seja grato a seus guias pela ajuda. Talvez você se surpreenda com o que vou dizer, mas os anjos são sensíveis e também têm sentimentos. Embora nunca se ofendam quando os ignoramos, eles ficam frustrados. Como todos os seres no universo, eles retribuem as comunicações e afirmações positivas, portanto, quanto mais você aceitar e for grato pela presença deles, mais surpresas e presentes poderá receber.

Essa é minha lista das bênçãos de hoje

- Agradeço por ter podido dormir até mais tarde.
- Agradeço porque meu computador voltou a funcionar sozinho depois que o programa de e-mail deu erro.
- Agradeço porque meus pais estão vivos e com boa saúde.
- Agradeço por todos os clientes maravilhosos e amados que me ajudaram a ganhar dinheiro para ajudar um amigo necessitado.
- Agradeço porque o conserto do meu carro foi totalmente coberto pela garantia.
- Agradeço porque minha cachorrinha, Miss T, voltou para casa depois de ter fugido do pet shop.
- Agradeço porque meu vizinho regou meu gramado.

A primeira coisa que você perceberá quando começar a contar as bênçãos é que os anjos são, no plano psíquico, o equivalente à polícia: nos protegem e resguardam constantemente de todo tipo de mal.

Tive uma cliente chamada Debbie que me contou uma história de anjos relacionada com a filhinha dela de 3 meses, Victoria. Em visita a Los Angeles com o marido, Debbie pediu que um berço fosse colocado na sala da frente da suíte do hotel. Naquela noite a cidade foi sacudida por um forte terremoto e tudo no quarto caiu, inclusive o reboco, as luminárias do teto e as janelas.

Em pânico, os pais pularam da cama e correram até o berço do bebê. Pedaços do teto estavam espalhados pelo chão, e o candelabro pendurado diretamente acima do berço havia caído e estava estraçalhado no piso, mas o berço estava intacto, e o bebê dormia profundamente, apesar da confusão. A única coisa em cima de Victoria era uma pena branca. Debbie e o marido pegaram a filhinha no colo e choraram agradecidos pela proteção do anjo.

Outro fato sobre os anjos é a capacidade de materialização que só eles possuem entre todos os auxiliares espirituais; eles frequentemente usam essa capacidade quando trabalham para nos manter em boas condições e seguros. Às vezes eles aparecem para salvar nossas vidas, para nos proteger de sofrimentos e desespero, ou somente para tornar menos difíceis os desafios que temos de enfrentar. Embora só tenhamos um anjo guardião, ele pode se apresentar em diferentes trajes, idades, formas e cores. Ao contrário do que comumente se acredita, os anjos guardiães nem sempre aparecem vestidos em diáfanas túnicas prateadas e com longos cabelos loiros — às vezes parecem moradores de rua ou estrelas de rock.

Por acaso, as crianças têm uma probabilidade muito maior que os adultos de se conectar conscientemente e interagir com os anjos, porque seus corações são menos fechados e seus espíritos, muito fortes. Na verdade, até ensinamos às crianças preces para invocar os anjos, mas os adultos se acham sofisticados demais para essas intimidades.

Minhas duas filhas passaram por uma série de encontros com anjos quando eram pequenas. Quando tinha mais ou menos 3 anos e estava muito adoentada, Sabrina anunciou que o seu anjo da guarda trouxera muitos querubins para brincar com ela e animá-la. Fiquei sentada na cama de Sabrina enquanto os querubins dançavam pelo quarto, ouvindo os gritinhos de prazer de minha filha enquanto ela segurava meu braço e perguntava: "Você está vendo os anjinhos? Você consegue ver?" Infelizmente, como eu estava doente de preocupação, não consegui ver os anjos, mas quando vi a alegria dela, senti-me envolvida numa onda de leveza. Embora não tenha realmente visto os anjos, certamente senti a presença deles, e a experiência me deixou tranquila e confiante de que Sabrina iria se recuperar naquela noite, o que realmente aconteceu.

Sabrina tinha 11 anos quando mais uma vez seu anjo guardião interveio para trazer um pouco de alegria a uma situação infeliz. Durante as férias de Natal, meu marido e eu deixamos que ela fosse ao shopping apenas com os amigos, para jantar e ver um filme. Sentindo-se muito adulta e excitada com a liberdade recém-adquirida, ela encheu a bolsa com os vales-presente que ganhou de Natal e mais os 20 dólares que lhe demos, e foi embora. Apesar de minhas advertências para que prestasse atenção e não perdesse a bolsa de vista, ela ficou tão envolvida com o filme que esqueceu a bolsa na poltrona. Assim que chegou ao hall do cinema, Sabrina se lembrou da bolsa e voltou correndo para recuperá-la, mas não a encontrou. Para piorar, em vez de serem solidários, os amigos riram dela.

Quando chegamos ao shopping, alguns minutos depois de Sabrina ter nos telefonado, meu marido e eu a encontramos inconsolável, envergonhada do erro cometido e de luto pela perda de todo o dinheiro ganho no Natal. Divididos entre a solidariedade e a irritação pelo descuido dela, começamos a levar nossa filha em lágrimas para o carro.

De repente, uma garota que parecia uma cópia de Sabrina se separou de um grupo de crianças e correu ao nosso encontro. Olhando diretamente para nós falou "Com licença" e puxou Sabrina para um lado, perguntando:

— Você está bem? Sei que perdeu sua bolsa no cinema e se sente péssima, mas não se preocupe. Apenas decida ficar bem e tudo dará certo. Você não é descuidada — isso foi só uma lição. Então a menina abraçou minha filha e voltou para junto dos amigos.

Foi uma grande surpresa, e a menina era tão gentil e carinhosa que Sabrina imediatamente superou a dor. Ela nos disse que queria agradecer à nova amiga, mas a garota desaparecera. Sabrina procurou em torno por alguns minutos e depois voltou, dando de ombros.

— Ela era um anjo — disse Sabrina tranquilamente. — Ela me disse que eu vou superar essa situação, portanto, acho que vou.

Depois disso nunca mais ouvi de minha filha nenhuma menção àquela perda.

Será que a menina era um anjo? Se pensar no comportamento habitual de crianças e adolescentes, tenho certeza de que era.

Com muita frequência, nossos anjos aparecem quando mais precisamos deles, mas não percebemos que eles vieram senão mais tarde, quando eles deixam uma energia tão tranquilizante que nos perguntamos como não lhes percebemos a presença. Minha cliente Grace, por exemplo, acabara de perder a mãe doente de câncer e de se divorciar do marido quando recebeu a notícia da morte da melhor amiga em um estranho acidente. Arrasada, ela se sentou em seu lugar no avião para comparecer ao funeral da amiga. Enquanto Grace se acomodava para viajar, uma senhora muito idosa, frágil e de aparência delicada foi transportada pelo corretor numa cadeira de rodas especial da empresa aérea até o lugar a seu lado. Elas começaram a conversar, e Grace abriu o coração para essa estranha que a escutou, a fez rir e lhe garantiu que o melhor da vida ainda estava por acontecer.

Durante todo o tempo da conversa a senhora segurava um livrinho de orações e lembrava a Grace que ela só precisava pedir a ajuda de Deus. Quando terminou o voo de duas horas, Grace se sentia tão bem que finalmente se lembrou de perguntar o nome da mulher, que respondeu "Dolores Good".

Quando Dolores foi levada para fora do avião na cadeira de rodas, Grace viu que ela havia esquecido o livro de orações, portanto, correu até a frente do avião para devolvê-lo. Quando perguntou às comissárias onde estava Dolores, elas não souberam informar, assim Grace percorreu todo o terminal tentando encontrá-la. No entanto, não teve sorte. Era como se Dolores tivesse desaparecido em pleno ar! Voltando ao balcão da empresa aérea, minha cliente perguntou se eles tinham alguma informação sobre uma mulher chamada Dolores Good. O agente pegou a relação de passageiros e, admirado, disse que tal nome não constava na lista; na verdade, não havia registro de passageiro na poltrona 17D. Quando Grace insistiu que Dolores era a passageira que deixara o avião numa cadeira de rodas, o agente informou que a ordem para buscá-la viera de outro terminal, portanto, não podia localizá-la.

Frustrada, Grace examinou com a atenção o livro de orações e descobriu que ele se chamava *The Lord is Good* (Deus é bom). Ela riu ao perceber a semelhança fonética entre o nome do livro e o nome da passageira, entendendo imediatamente que Dolores era um anjo.

Você sabia que...

... os anjos guardiães nunca foram humanos?

... eles podem aparecer no momento de sua concepção e permanecer com você durante toda a sua vida?

... eles orientam, protegem e cultivam seu corpo, sua mente e seu espírito?

... eles estão presentes no momento da sua morte?

... os anjos são os únicos seres espirituais que podem assumir a forma humana?

Conheci meu anjo guardião há muitos anos. Tirei umas férias no Havaí no auge do inverno para me recuperar de um longo e exaustivo período de privação de sono após os nascimentos muito próximos de minhas duas filhas, uma reforma de casa que não acabava nunca e compromissos profissionais exigentes. (Contei essa história no meu primeiro livro, *The Psychic Pathway*, mas vale a pena tornar a contá-la aqui.)

Nos primeiros dias depois de chegar a Oahu, só fiz dormir, mas no terceiro dia me levantei e fui até a praia, onde me sentei tranquilamente junto à água para refletir sobre minha vida. Embora tivesse duas filhas lindas e um marido maravilhoso, eu não estava feliz. Nossas vidas eram desgastantes, estávamos profundamente endividados, e Patrick e eu brigávamos o tempo todo. Sem poder contar com muita ajuda na época, meu marido e eu estávamos assoberbados de responsabilidades. Era muito claro que toda a alegria tinha sido drenada de nossas vidas e estávamos apenas sobrevivendo.

Sentada na praia, longe de tudo aquilo, rezei pedindo uma mudança... algo que levasse minha vida de volta ao caminho certo. No dia seguinte, passeei pela praia durante mais ou menos uma hora, e então, espontaneamente, dei meia-volta e caminhei em direção à cidade, para uma exploração. Entrei numa loja de livros esotéricos com o sentimento de já ter estado ali. Quando comecei a olhar os livros, havia apenas uma mulher atrás do balcão; surpreendi-me sentindo gratidão pelo fato de ela parecer preocupada, o que me permitia andar pelo lugar sem ser incomodada. Depois de alguns minutos um afro-americano muito bonito veio do fundo da loja diretamente para mim. Ele tinha mais ou menos 1,90 metro de altura e estava vestido de branco; tinha um sorriso maravilhoso e uma risada sonora. Assim que me viu, disse:

— Oi, eu estava esperando por você.

— Por mim? — perguntei, surpresa.

— Sim — respondeu ele enquanto me indicava uma caixa com cartazes de teor espiritual. — Veja só, esta é você — disse, puxando um pôster de um anjo do sexo feminino caído na praia.

— Boa observação, eu estou me sentindo exatamente assim — comentei, rindo.

— Veja bem — prosseguiu ele —, isso é o que você precisa fazer. Ele puxou outro cartaz que mostrava um anjo do sexo masculino abraçando o anjo feminino e voando para o céu.

Subitamente senti uma pontada de dor, percebendo como meu marido e eu havíamos nos distanciado. Estávamos trabalhando tanto que raramente nos víamos, e quando isso acontecia, não tínhamos paciência para ouvir o outro ou passar algum tempo juntos. Para piorar, nenhum dos dois tinha tempo para si mesmo e, muito menos, oportunidades de curtir nossas filhas.

— Ligue-se em seu parceiro e lembre-se de dançar — disse o homem, sorrindo, enquanto se dirigia para a sala dos fundos. Antes de desaparecer atrás da cortina ele se voltou mais uma vez e prometeu: — Eu voltarei.

Fiquei de pé ali segurando os dois cartazes, intrigada com o que ele acabara de dizer, quando a mulher atrás do balcão me perguntou se eu precisava de ajuda.

— Não, muito obrigada — respondi. — O cavalheiro da sala dos fundos já me ajudou bastante.

Ela fez uma expressão de estranheza e perguntou:

— Cavalheiro? Que cavalheiro?

— Aquele que acabou de entrar na sala dos fundos.

Balançando a cabeça com ar de quem me achava meio maluca, ela disse:

— Não tem ninguém trabalhando lá atrás.

Depois de entrar na sala dos fundos para conferir pessoalmente, ela voltou ainda balançando a cabeça e reafirmou:

— Não tem ninguém lá.

Confusa, olhei para os cartazes de anjos. Então me lembrei da roupa totalmente branca e brilhante do homem, e naquele instante soube que ele era um anjo... *meu* anjo. Ele surgiu do nada para me trazer a mensagem de relaxar, simplificar minha vida, curtir Patrick e as garotas, e ter certeza de que tudo sairia bem — uma mensagem que eu precisava desesperadamente ouvir naquele momento. Como ele disse que voltaria, meu coração ficou certo de que minha família e eu receberíamos ajuda. Finalmente, pude sorrir e depois rir alto, sentindo-me banhada por um sentimento maravilhoso de confiança renovada.

— Tudo bem — falei para a mulher enquanto caminhava lentamente para fora, admirada com o que acabara de acontecer e quase delirante de alívio. Eu estava muito agradecida pelo aparecimento daquela entidade, naquele dia, para iluminar minha vida sombria! A partir daquele momento chamei meu anjo de "Brilhante".

Você sabe como falar com seu anjo guardião?

Experimente:

Adote a prática de toda noite antes de dormir dizer esta singela oração infantil para poder começar a sentir imediatamente a presença de seu anjo guardião ao seu lado:

Santo Anjo do Senhor, meu querido protetor,
Como a ti me confiou a piedade divina,
Sempre me rege, me guarda, me governa e me ilumina.

Agora que dividi com você o conhecimento do que os anjos guardiães podem fazer, vamos voltar à questão de como se conectar o mais depressa possível com os seus. Além de aceitar a presença deles com um ato de fé e reconhecer-lhes a ajuda sendo gentil e agradecido, há muitas outras maneiras eficazes para se comunicar com eles. Por exemplo, os anjos adoram música, portanto, você pode invocar o seu tocando ou cantando músicas alegres e bonitas em casa, no carro ou mesmo no escritório, para lhes dar prazer.

Além disso, como guarda-costas eternos e companheiros constantes, seus anjos estão presentes para ouvir e agir, portanto, sempre que puder, fale com eles diretamente — principalmente em voz alta. Por exemplo, quando acordar pela manhã, agradeça a seu anjo por cuidar de você enquanto dormia; enquanto prepara o café da manhã, peça a ele para aplainar seu caminho tornando a jornada mais fácil e a comunicação positiva em tudo o que você fizer. Durante o dia, você pode pedir para ele ficar na porta do escritório e bloquear qualquer negatividade; para selecionar suas chamadas telefônicas; para viajar ao seu lado no avião, no trem ou em seu carro. Se você precisa enfrentar compromissos difíceis, peça aos seus guias para prepararem o caminho, encontrando-se antecipadamente com os espíritos das pessoas com quem você vai se reunir. Continue a dar tarefas ao seu anjo e não se esqueça de agradecer pelos bons serviços dele no final do dia.

Um dos meus meios de comunicação favoritos com os meus anjos são as cartas. Essa é uma das maneiras mais poderosas de fazer contato com todos os guias, porque as mãos estão ligadas ao coração e o coração, ao seu espírito, o qual se conecta com outros domínios espirituais. Conte aos anjos seus medos, suas preocupações, decisões ou qualquer coisa que o ameace ou faça infeliz; então — esta é a parte mais importante —, *peça a ajuda e a orientação deles*. Peça que eles movam seu corpo, seu coração e sua mente na direção do crescimento e que interfiram se você tomar uma direção indevida.

Quando terminar de escrever a carta, você poderá queimá-la, para transformar sua mensagem em espírito. Ao fazer isso, você se dispõe a permitir que seus anjos recebam seu pedido, submetendo-se ao amparo deles. Esse conceito de se submeter é importante — não jogue um cabo de guerra com os anjos, pedindo a ajuda deles e depois se recusando a abrir mão do controle sobre seus problemas.

A palavra anjo significa "mensageiro", portanto, esses seres celestiais consideram uma de suas principais missões apoiar e ajudar você na comunicação com o reino dos espíritos. Considere suas preces pedidos a serem entregues à Mãe Divina, ao Pai e ao Espírito Santo, e peça aos seus anjos para levá-las aonde elas precisam ir — então confie neles, porque sabem o que estão fazendo.

Finalmente, não se esqueça de comemorar com seus anjos os seus sucessos, já que essas entidades são seus maiores defensores e se alegram com suas realizações, ao mesmo tempo em que o ajudam em projetos e empreendimentos futuros.

Não estamos acostumados a ter orgulho de nós mesmos porque aprendemos que isso é egoísmo — mas não é. Como seres espirituais, é saudável e importante termos alegria com nosso sucesso e nossas realizações, e, como ninguém os comemora com mais entusiasmo que nossos anjos, precisamos ter certeza de compartilhar o ouro com eles!

Agora é sua vez

À noite, imediatamente antes de adormecer, respire devagar e preste atenção às vibrações do quarto. Seu anjo guardião tem uma energia forte, porém sutil, e poderosa, porém delicada, que lhe dá a sensação de estar em boa companhia — portanto, confie nessa percepção. Garanto que você não vai encontrar no pé de sua cama uma energia semelhante à do Incrível Hulk, porque os anjos trazem uma sensação de luz, calor e calma.

Quando sentir uma conexão, diga alô e pergunte o nome de seu anjo. Confie no que receber e não se surpreenda se, em vez de algo angelical como "Dubrial" ou "Oroful", a resposta for "Bruce". Os guias são práticos e fornecem nomes fáceis de lembrar. Se não conseguir nada hoje, tente de novo amanhã... nunca vi alguém tentar mais de dez vezes sem obter resultado.

Uma vez tendo feito contato, diga ao seu anjo que você está ansioso por manter com ele um relacionamento longo e amoroso, está disposto a receber a ajuda dele e está grato por sua presença. Procure sentir a vibração dele aonde for. Tal como se essa vibração fosse uma música ou um perfume incomparável, com pouco esforço você aprenderá a reconhecê-la imediatamente. Quando isso acontecer, você nunca mais se sentirá sozinho.

Finalmente, crie um sinal para dizer ao seu anjo que sente a presença dele. O meu é um piscar de olhos e um sorriso, minha maneira de dizer "Estou feliz com sua presença". Deixe seu espírito descansar sabendo que o anjo guardião está atento, interferindo a seu favor neste mundo louco.

CAPÍTULO 4

Os arcanjos

Além de trabalhar com seu anjo guardião pessoal, você também pode receber um imenso apoio energético dos arcanjos, considerados os mais importantes mensageiros de Deus na hierarquia celeste. Você pode invocá-los a qualquer momento para pedir uma ajuda adicional. Como essas forças angelicais são muito poderosas, pedir a ajuda delas é como pedir ao melhor time de futebol do universo para vir ajudá-lo a ganhar o jogo da vida.

Em minha formação católica aprendi que existem sete arcanjos: Miguel, Gabriel, Rafael, Uriel, Raguel, Sariel e Remiel. (Talvez você ache estranho o fato de todos esses nomes terminarem em "el", mas isso não é coincidência: em hebreu esse sufixo significa "ser luminoso".) Cada arcanjo tem um domínio pessoal, portanto, você pode atrair as energias muito específicas e potentes de cada um deles, dependendo do que queira fazer. Eis uma breve apresentação de cada arcanjo:

— **Miguel**, o arcanjo número um, é flamejante e passional, patrono da proteção e do amor. Pedir ajuda a ele nos dirige para a ação quando a vida carece de vitalidade, animação e amor. Se você estiver realmente pronto para enfrentar seus medos e tentar alguma coisa nova e até mesmo assustadora — como mudar de carreira ou viajar sozinho para algum lugar pela primeira vez —, poderá invocar Miguel para protegê-lo e guiá-lo em sua aventura.

— **Gabriel** é considerado o segundo arcanjo na linha de comando e governa as emoções. Ele está associado com o elemento água. Gabriel acalma as dúvidas e fortalece a confiança, o que o torna especialmente útil a quem está lutando contra a ansiedade.

— **Rafael** é o próximo da fila; encarregado da cura, ele supervisiona essa energia em todos os níveis: do corpo, da mente e do espírito. Sua essência é o ar, portanto, ele não só nos restaura as energias no nível físico mas também é um bom recurso para aumentar a criatividade. Eu invoco Rafael antes de começar qualquer projeto literário para que ele me mantenha alerta e focalizada e me ajude a criar um trabalho inspirador e terapêutico para todos os leitores.

— **Uriel** tem uma vibração de solidez e ligação com a Terra, sendo capaz de realizar múltiplas tarefas. Ele nos recebe nos portões do céu, é o mensageiro que traz avisos e também é o patrono da música.

— O quinto da lista é **Raguel** — o agente policial na força dos arcanjos —, que trata de garantir que os outros se comportem bem. Quando minhas crianças eram muito pequenas e eu precisava fazer longas viagens de avião, invocava Raguel para ajudar a manter meus anjinhos bem-comportados. Deve ter funcionado, porque fizemos muitas viagens de um lado para o outro do país e à Europa, e de alguma forma minhas filhas intuitivamente sabiam (sem que eu precisasse ameaçá-las) que precisavam ser boazinhas, senão... Na verdade, nós éramos constantemente cumprimentados pelo comportamento exemplar das meninas, que adoravam ouvir esses elogios.

— O arcanjo **Sariel** mantém a ordem, portanto, eu costumava chamá-lo quando minhas filhas eram muito pequenas e tínhamos outras crianças convidadas para brincar. Nem preciso dizer que as crianças podiam ficar muito agitadas e causar a maior bagunça. Como eu não queria ser responsável por acabar com a festa (mas também não queria ter de arrumar tudo depois), encarregava Sariel de cuidar delas. É claro que ele causava a maior impressão, porque inevitavelmente em algum momento da tarde uma das crianças sugeria brincar de "dona de casa". Antes que eu soubesse o que estava acontecendo, todas elas estavam diligentemente arrumando a própria bagunça... e a dos outros. (Eu soube que um anjo estava de plantão no dia em que elas insistiram em passar aspirador de pó na casa!)

— Finalmente, temos **Remiel**, o anjo da esperança. Ele é uma entidade muito poderosa com quem trabalhei bastante como guia intuitiva em hospitais para pacientes terminais, já que o papel desse arcanjo é nos receber nas portas da morte e nos encaminhar para o céu. Em muitas ocasiões segurei as mãos dos pacientes agonizantes até poder sentir a presença de Remiel. Quando ele aparece, as vibrações de medo, estresse e crise presentes quando enfrentamos a morte dão lugar a uma calma e uma paz absolutas. Esse é o momento em que nosso anjo guardião nos entrega ao abraço amoroso de Remiel. Nesse instante, todos os presentes sabem e sentem que a alma está novamente em segurança.

Além de nossos anjos guardiães, também os arcanjos promovem o desenvolvimento de nossos talentos artísticos e têm o poder de impulsionar nossa criatividade para uma expressão mais elevada. Eles nos motivam a assumir riscos e compartilhar a energia de nossos talentos, seja fazendo música, pintando, dançando, interpretando, cozinhando ou praticando jardinagem.

A arte é a expressão da alma porque lhe dá voz. Por essa razão, a supressão do impulso artístico cria no espírito uma ferida psíquica profunda que pede forças poderosas para ser curada. Por exemplo, durante a maior parte de minha vida fiquei longe da música porque meu professor de música da quarta série me colocou no banco de reservas durante a apresentação do coral natalino, dizendo que eu não era nada musical. Por fora, achei graça no incidente, mas por dentro estava muito ferida. Depois dessa experiência horrível, ninguém conseguia extrair uma nota de minha garganta. Como eu era boa dançarina e tinha paixão por música, senti-me como se tivesse sofrido uma grave amputação psíquica.

Um dia, ganhei um cartão com a figura do arcanjo Uriel, citado como o arcanjo da música. Sabendo que a recuperação do meu espírito criativo naquele departamento precisaria de uma energia psíquica poderosa, pedi a Uriel para me curar e reviver gradualmente meu coração de cantora. Cuidadosamente, abri a boca (a sós, naturalmente) e comecei a cantar.

Quando invocamos esses figurões, os resultados são grandiosos, portanto, não fiquei surpresa quando pouco depois de pedir ajuda a Uriel conheci um músico chamado Mark que se ofereceu para, por muito pouco dinheiro, viajar comigo e me ajudar. Sei que Uriel mandou Mark a meu encontro porque ele era tão seguro e estável em sua música que senti um impulso de cantar... e logo passei a cantar em todo curso ou assinatura de autógrafos de que participamos pelo mundo afora. Eu era afinada? Bem, pelo menos no início não era, mas com o tempo e a ajuda de Uriel (e de Mark) meu canto melhorou e continua a me dar alegrias até hoje.

Da mesma forma, minha mãe perdeu 95% da audição em consequência de lesões sofridas durante a Segunda Guerra Mundial. Com frequência ela se lamentava e dizia como gostaria de ainda poder ouvir e apreciar música. Ela disse que ia rezar para os arcanjos, e pouco depois teve uma experiência incrível de saúde: disse que durante toda a noite, enquanto sonhava, foi embalada pela música celestial mais maravilhosa que já ouvira. Ela não conseguia descrever a beleza da música, mas a julgar pelo brilho em seu rosto era evidente que ficou profundamente emocionada.

O mais fascinante é que isso nunca parou — minha mãe ouvia a mesma música celestial e dançava com tanta frequência que começamos a brincar que era melhor ela ir logo se deitar para não perder o concerto. Ela respondia, rindo: "Nem em sonhos vou perder meu concerto."

Portanto, seja qual for a forma de expressão artística de que você goste, invoque os arcanjos para encher seu espírito com a energia divina para manifestar livre e integralmente sua arte. Então, prepare-se, porque grandes coisas começarão a acontecer.

Você sabia que os arcanjos...

... são os mensageiros mais importantes de Deus?

... são as "pilhas" de sua equipe de apoio espiritual?

... supervisionam o desenvolvimento de seus talentos artísticos?

... são fortes, amigáveis e generosos e não têm um ego como os seres humanos?

... adoram ser chamados porque nos servir é servir a Deus?

... podem ser invocados repetindo-se seus nomes lentamente entre os movimentos respiratórios?

Com frequência, informo meus clientes sobre a invocação dos arcanjos, e muitos deles descobrem que os resultados superam em muito suas mais loucas expectativas. Por exemplo, Anne era professora de alunos emocionalmente perturbados numa escola pública do ensino médico. Embora fosse determinada em sua missão, Anne estava infinitamente estressada. Sugeri que ela invocasse Raguel para ajudá-la a manter a disciplina das crianças e a própria.

— Como nessa terra bendita isso pode ser feito?— perguntou.

— Não pode — respondi. — Nada nessa terra pode ajudá-la, mas Raguel não está *na Terra*, está no céu, e tem uma energia poderosa, portanto, experimente.

Anne passou todo o fim de semana chamando Raguel e "baixou" suas frustrações, simplesmente pedindo ao arcanjo para ajudar a manter as coisas calmas de modo que ela pudesse ensinar, em vez de ficar o tempo todo servindo de árbitro entre os alunos.

Na segunda-feira seguinte, ela foi procurada pelo diretor. Ele informou que a escola havia sido selecionada pela municipalidade para adotar novas estratégias de sala de aula, já que as antigas não estavam dando certo. A primeira mudança foi dividir a turma de 29 alunos em três grupos menores. Ela não conseguia acreditar no que via: vinte dos maiores criadores de caso de sua turma foram retirados da sala, deixando-lhe apenas nove que, por comparação, pareciam muito fáceis de administrar.

— Foi Raguel que fez isso? — perguntou-me ela.

— Anne, estamos falando do sistema de escolas públicas de Chicago — respondi, e nós duas rimos. — Você não concorda que o que aconteceu só pode ter sido orquestrado por alguém com influência sobrenatural?

Como invocar os arcanjos

Aprendi que há uma maneira ideal de invocar os arcanjos. Naturalmente, uma prece sempre é respondida, mas um método preferencial é chamá-los repetindo seus nomes como se fossem uma canção:

[respiração] *Mi-guel* [respiração e pausa]
[respiração] *Ga-bri-el* [respiração e pausa]
[respiração] *Ra-fa-el* [respiração e pausa]
[respiração] *U-ri-el* [respiração e pausa]
[respiração] *Ra-guel* [respiração e pausa]
[respiração] *Sa-ri-el* [respiração e pausa]
[respiração] *Re-mi-el* [respiração e pausa]

Respire, repita o nome de cada arcanjo e então comece novamente, e recomece a operação até sentir a presença deles. Quanto mais você repetir, mais poderá sentir-lhes a presença. Não é preciso ter pressa — tenha paciência, e eles virão. Você saberá que eles estão presentes porque a vibração dos arcanjos impõe respeito e parece poderosa (como se eles não estivessem ali para brincar), mas não é assustadora. Você não só sentirá a vibração deles, mas também verá os resultados.

Se tiver um pedido especial para *um* dos arcanjos, poderá chamá-lo diretamente repetindo seu nome entre respirações. Não importa se você quer invocar uma entidade específica ou o grupo todo, assegure-se de levar a questão a sério. Lembre-se de que Deus ajuda a quem se ajuda, portanto, até estar preparado a fazer o necessário para que as coisas aconteçam, nem mesmo os arcanjos podem ajudar. Cabe a você tomar a decisão.

Os arcanjos são a "pilha" que dá energia à sua equipe de apoio espiritual. Quando trabalhar com anjos guardiães e guias espirituais, lembre-se de que eles não têm a capacidade de fornecer a energia necessária para a transformação; só os arcanjos têm essa capacidade. Só eles podem nos lançar para a frente, porém isso só pode acontecer quando estivermos prontos.

Isso me lembra minha cliente Heather, que desejava dar expressão à sua capacidade de criação literária e falava incessantemente em "algum dia" escrever um livro. Quando ela mencionou a questão pela 164ª vez, perguntei por que ainda não havia começado e quando finalmente começaria. Ela confessou que na verdade aquele era o maior desejo de seu coração, mas ela não parecia conseguir o tempo e, muito menos, a energia para começar, embora houvesse escrito mentalmente o livro inúmeras vezes.

Como eu já estivera em mais de uma ocasião na mesma situação de "gostaria, deveria, poderia" em que Heather se encontrava, confessei-lhe meu segredo de invocar o arcanjo Rafael para me colocar em ação. Curiosa, ela me pediu para mostrar como fazer isso, portanto, ensinei-lhe o "cântico" e pedi que me contasse o resultado.

Três meses depois esbarrei com ela e perguntei sobre o progresso no projeto. Heather ergueu as sobrancelhas e disse:

— Você nem imagina! Desde que segui seu conselho e fiz o cântico para Rafael não passei um dia sem escrever. Alguma coisa maior do que eu me coloca todo dia na cadeira e não me deixa em paz até que eu tenha escrito durante pelo menos uma hora. Não posso fazer mais nada até ter terminado. Estou realmente gestando um livro.

— É, isso é a cara de Rafael — respondi. — Peça, mas esteja segura de que quer realmente aquilo!

Essa é a beleza de se conectar com os arcanjos: eles nos fazem agir e nos impedem de perder tempo. Ao contrário do anjo guardião, que nos protege e filtra as interferências, os arcanjos são o ataque no time da orientação espiritual. É emocionante trabalhar com eles.

Charlie Goodman, meu primeiro instrutor de metafísica, o homem que me apresentou às artes mediúnicas, ensinou-me um ritual maravilhoso para invocar os arcanjos toda vez que eu sair de casa. Primeiro, visualizo Brilhante, meu anjo guardião, segurando minha mão. Depois, repetindo em sequência o nome dos arcanjos, peço a Miguel para caminhar do meu lado direito e Gabriel para caminhar do meu lado esquerdo. Em seguida invoco Uriel, para abrir o caminho e Rafael, para seguir atrás de mim, me protegendo e me motivando. Finalmente, coloco Raguel sobre minha cabeça, para manter a ordem, e Sariel a meu lado. Com meus "arcanjinhos" (minha expressão carinhosa para falar deles) bem-posicionados, saio de casa.

Esse ritual me deixa confiante e cheia de energia para enfrentar qualquer coisa. Até mesmo chamo meu fusquinha de "arcanjomóvel", e visualizo as rodas como Miguel, Gabriel, Uriel, e Rafael. Raguel está no teto solar e Sariel nos freios. Brilhante vai no banco do carona. Com essa companhia, sinto que posso viajar com segurança em qualquer estrada — o que até hoje sempre aconteceu.

Invocar os arcanjos acelera nossa própria vibração e expande nossa aura. Por essa razão, peço aos arcanjinhos para subirem ao palco comigo sempre que faço uma palestra, para ter uma presença mais forte. E sempre peço a eles para que estejam em meu escritório quando dou consultas, porque eles me ajudam a manter a energia enquanto desempenho esse trabalho difícil e cansativo. Eu também os coloco nos quatro cantos do telhado, à noite, para renovar o espírito da minha família. Eu os levo comigo quando viajo e, principalmente, quando dou longos seminários. Na verdade, peço aos arcanjos que me cerquem durante todos os momentos de minha vida... e eles fazem isso.

Agora é sua vez

Pratique a invocação dos arcanjos e veja o que acontece. Ao contrário do seu anjo guardião, cuja presença calma é como uma companhia silenciosa, a energia dos arcanjos nos prepara para a ação. Eles trazem uma vibração tão reconfortante que todo o medo e a ansiedade imediatamente dão lugar a uma autoconfiança luminosa.

Embora sejam fortes, os arcanjos são gentis e amigáveis. Eles nunca estiveram presos à Terra, portanto, não têm egos como os nossos. Eles adoram ser chamados, já que seu maior desejo é ajudar-nos em todas as causas honrosas — afinal, contribuir para nosso bem também é uma forma de servir a Deus.

Uma maneira divertida de se conectar com os arcanjos é desenhá-los ou pintá-los. Duvido que exista uma criatura viva que não tenha desenhado anjos quando era criança. Quando eu era pequena, esse era um dos meus temas favoritos! Até mesmo desenhos esquemáticos funcionam, portanto, use sua criatividade e lembre-se de que devemos apreciar nossas representações dos anjos.

Esse exercício nos ajuda a estabelecer um contato direto com os anjos, porque a mão nos desconecta do ego e nos liga ao coração, onde temos o contato mais direto e íntimo com os amigos angelicais.

Rabisque a imagem de um anjo sempre que precisar de ajuda, e a assistência deles virá imediatamente em sua direção. Na verdade, experimente fazer isso agora e veja como sua energia melhora.

CAPÍTULO 5

O ministério dos anjos

Lembre-se de que você é um precioso e amado filho de Deus e que, de acordo com o plano do Pai, os anjos estão aqui para nos servir. Você foi abençoado com todos os recursos necessários para viver uma vida de paz, prosperidade e segurança. Para esse fim, seu sistema de apoio angelical inclui não somente seu anjo guardião pessoal e os poderosos arcanjos, mas também o acesso imediato e direto ao que é conhecido como o ministério dos anjos, que lhe presta assistência e apoio em praticamente todas as áreas da vida.

Trabalhar com esse ministério pode ser muito divertido, pois como "fornecedores de benesses" esses anjos ficam muito felizes em trazer presentes e surpresas, e em deleitar nossos sentidos e facilitar nosso caminho. Há departamentos infinitos no ministério dos anjos, tais como estacionamentos, computadores, compras, corte e costura, viagens, escritório, cura e assim por diante. Onde houver uma necessidade, existirão anjos para servir. O ministério está sempre disponível e entra em ação assim que pedimos sua ajuda. O único requisito é que nossa necessidade seja benigna e não prejudique ninguém. Nesses termos, somos livres para desfrutar de suas bênçãos!

O ministério em ação

Minha mãe começou a costurar quando ainda era muito jovem, e passou a amar essa atividade mais que qualquer outra forma de criação. Nas palavras dela: "Esse é o tempo que tenho para me desligar do mundo e falar com Deus". Graças a isso, ela tem uma associação muito próxima com os anjos da costura, que invoca para ajudá-la a achar tecidos bonitos, inspirá-la quando tem dificuldade em um molde ou ajudá-la quando não está conseguindo criar o que imaginou.

Há 25 anos anos atrás, minha mãe se ofereceu para fazer meu vestido de noiva e pediu ajuda aos anjos da costura. Ela me chamou, muito empolgada, depois que eles a levaram ao fundo de uma pequena fábrica de tecidos onde nunca havia estado antes. Lá, no meio de uma pilha de retalhos de tecido, ela encontrou uma peça de seda italiana bordada à mão num padrão delicado, perfeito para o corpete do vestido. Como se isso não fosse bastante surpreendente, ela olhou a etiqueta de preço e descobriu que marcava apenas 25 dólares por metro — um tecido que em qualquer lugar custaria de 200 a 500 dólares por metro. Incapaz de acreditar no que via, ela levou o tecido para a frente da loja e se dirigiu ao proprietário:

— Tenho até medo de perguntar, mas esse é o preço certo deste tecido?

— Não, na verdade não é — respondeu o proprietário. — Ele foi remarcado novamente. Já faz tempo que quero remarcá-lo para 12,50 dólares por metro, mas não tive tempo. Como você pode ver, é um tecido maravilhoso, mas está encalhado há meses, e quero vendê-lo. Na verdade, se você gosta dele, posso fazer a peça inteira por 100 dólares.

Minha mãe disse que ficou muda durante cinco segundos, segurando nos braços o tecido que valia mais de 2 mil dólares, antes de conseguir exclamar:

— Combinado! Vou levar!

Nem preciso dizer que fiquei maravilhada com a história, e ainda mais encantada quando ela me apresentou o vestido de noiva mais elegante que eu poderia imaginar (inclusive com luvas combinando!). Mais uma vez, os anjos de minha mãe trouxeram a surpresa perfeita para cultivar a criatividade dela e lhe dar mais prazer.

O meu marido, Patrick, tem um relacionamento muito íntimo com outro grupo muito específico do ministério: os anjos da pechincha. Talvez ele tenha formado esse relacionamento no início da vida, sendo membro de uma família grande com recursos limitados, para a qual as pechinchas eram a única maneira de conseguir qualquer coisa. Seja qual for a razão, não conheço outra pessoa com tanta sorte para estar no lugar certo, na hora certa, e fazer a compra do século.

Há muito tempo seus anjos da pechincha o abençoam com surpresas maravilhosas e frequentes. Por exemplo, eles o levaram até seu primeiro carro, um Oldsmobile Delta 88, pelo qual ele pagou apenas 300 dólares. Isso, por sua vez, o levou a um emprego que exigia que ele dirigisse com frequência e fornecia uma ajuda de custo de 45 centavos por quilômetro rodado. O carro rodou sem problemas por mais de 200 mil quilômetros, portanto, Patrick conseguiu recuperar todo o investimento inicial e, como bônus, ele também ganhou dinheiro suficiente para uma viagem ao redor do mundo — um sonho que ele alimentava desde criança.

Certa vez, Patrick foi dirigido para uma liquidação de mostruário (antes do anúncio da liquidação) e conseguiu me surpreender com um faqueiro de prata que valia 1.200 dólares que ele comprou por 20 e, ainda, toalhas de mesa que normalmente seriam vendidas por 700 dólares que ele comprou por 30.

Em outra ocasião, os anjos o levaram a uma liquidação no centro comercial Chicago Merchandise Mart, onde ele pôde escolher decorações de Natal cujo preço original eram centenas de dólares e pelas quais pagou 1 dólar por artigo. Ele encontrou tantos tesouros gloriosos que todo Natal nossa casa se transforma num playground dos sonhos infantis e num mágico país das maravilhas. No dia da liquidação ele chegou em casa usando um gorro de Papai Noel e cantando a plenos pulmões, completamente alegre com as caixas de enfeites e bonecos fabulosos que adquirira por menos de 200 dólares.

Ao longo dos anos esses anjos da pechincha não reduziram o ritmo. Recentemente, quando Patrick visitava um de seus clientes, os anjos insistiram que ele parasse em um centro comercial próximo do escritório do cliente. Ele caminhou até uma loja de marca no fundo da galeria. Sem acreditar no que via, Patrick surpreendeu os vendedores montando uma vitrine de casacos, ternos, camisas e calças Giorgio Armani com uma redução de 90%! Impressionado com a qualidade e o preço dos artigos, ele perguntou ao gerente da loja se aquela prática era usual. O gerente disse que não. Os compradores avaliaram mal a estação e agora queriam se livrar rapidamente do excesso de estoque. Na verdade, aquela seria provavelmente a única vez que fariam aquilo. Agradecendo profusamente aos anjos, Patrick adquiriu roupas que em circunstâncias normais só poderia sonhar em possuir.

Pessoalmente, tenho inúmeros exemplos de ajuda dos meus anjos, mas um dos meus favoritos aconteceu logo que perdi meu emprego, quando a companhia aérea em que eu trabalhava foi comprada e os comissários de bordo entraram em greve. Meus anjos de viagem imediatamente começaram a agir em meu favor, e três anos depois (no dia seguinte ao nascimento de minha segunda filha) o movimento grevista fechou um acordo com o empregador.

Os cem primeiros empregados chamados de volta receberam uma oferta vitalícia de viagens gratuitas para toda a família em troca do emprego... e eu fui a centésima a ser chamada. Sem intenção de voltar, já que nesse período tinha estabelecido minha prática mediúnica, receber essa oferta foi como ganhar a loteria. Agora eu podia ficar em casa, com minha família, que amo, e viajar por todo o mundo. Vê como os anjos podem ser incrivelmente generosos se você simplesmente permitir que eles operem milagres em seu favor?

Você sabia que os anjos do ministério ...

... são a sua infantaria?
... são os fornecedores de benesses?
... cuidam de todas as suas necessidades?
... nos ajudam para agradar ao Criador?
... têm uma vibração luminosa e rápida, como a de um laser?

Minha mãe me ensinou a trabalhar com o ministério usando a seguinte expressão: "Entregue o problema aos seus anjos e espere os bons resultados." E, então, ela fazia uma pausa e dizia: "Vou ficar esperando para ouvir os bons resultados quando você chegar."

Até hoje eu entrego aos meus anjos qualquer empreendimento em que me envolva. Isso já se transformou num hábito, e eu nem sonharia em tentar realizar qualquer coisa sem eles — seria como viajar na classe econômica tendo um bilhete para a primeira classe!

Pode ser necessário algum tempo para se habituar, mas pedir ajuda aos seus anjos ficará mais fácil com a prática porque, quando os envolvemos, tudo acontece melhor e mais rápido. Lembre-se de que você pode viver uma vida encantada apenas deixando que ela seja assim... e o grau de encantamento pode depender do quanto você está disposto a pedir ao ministério.

Agora é sua vez

Conectar-se com o ministério dos anjos é tão simples quanto se conectar com seu anjo guardião — basta acreditar e pedir ajuda. A melhor forma de ter sucesso é reconhecer que, nesse caso, tal como na conexão com todos os auxiliares espirituais, você estará construindo um relacionamento com o ministério — portanto, quanto mais você trabalhar com ele, mais forte será a ligação.

A melhor prática para chamar o ministério é começar todo empreendimento com uma prece curta, como: "Ministério dos anjos, supervisione tudo que eu faço e torne meu empreendimento mais fácil, mágico e cheio de dádivas. Obrigada." Sinta a presença deles quando eles se precipitarem para ajudar. Melhor ainda, dê a eles a liberdade de trabalhar em seu benefício o tempo todo, pedindo-lhes para ficar em dedicação permanente!

CAPÍTULO 6

A vida sob a influência dos anjos

É muito fácil estabelecer o contato com os guias angelicais, e com um pequeno esforço você ficará consciente de sua presença constante. Feche os olhos neste exato momento e veja se pode sentir seu anjo guardião de pé a seu lado... ele está à esquerda, à direita, do outro lado da sala ou diretamente às suas costas? (A maior parte do tempo, sinto Brilhante, meu anjo, do meu lado direito; contudo, ele muda de posição quando estou dando consultas pessoais e fica entre o cliente e mim.)

Agora, tente chamar os arcanjos e observe como a vibração deles é diferente: você pode sentir a intensidade amorosa, porém poderosa, como se eles soubessem que você não ousaria desafiá-los? (Nem você, nem ninguém!) Agora procure escutar as variações sutis entre os diversos arcanjos. Por exemplo, Miguel tem uma energia intensa e combativa, enquanto Gabriel é mais profundo e tranquilo.

Outra forma de distinguir as vibrações angelicais é percebê-las como variações sutis de uma mesma cor. Por exemplo, os arcanjos podem ser percebidos como raios intensos de azul-anil, seu anjo guardião pode ser azul-celeste e os anjos do ministério podem ser azul-turquesa — em outras palavras, todos são únicos, mas compartilham uma qualidade comum.

Confie em seus sentimentos e não deixe o intelecto interferir, sugerindo que você está inventando coisas. Como talvez você não fique à vontade para expressar sua percepção do mundo da vidência, é natural hesitar ou questionar se está apenas imaginando essas diferenças. A resposta surpreendente é que está, já que os espíritos se conectam a nós por meio da imaginação. Contudo, esta ainda será uma percepção verdadeira; só é diferente do tipo de percepção que você aprendeu a reconhecer.

Refine ainda mais sua percepção para sintonizar-se com as frequências energéticas do ministério dos anjos. Mais uma vez, observe as diferenças sutis nas vibrações deles, em comparação com o anjo guardião ou um arcanjo. Lembre-se de que a percepção é um sentido como outro qualquer, como o olfato, a visão, o paladar, a audição ou o tato. É preciso prática para refinar esse sentido, portanto, espere uma curva de aprendizagem e tente não ficar muito fixado em fazer a coisa da forma "certa". Quando pegar o jeito, você descobrirá que isso é tão fácil quanto identificar diferentes texturas, perfumes ou instrumentos numa orquestra. Lembre-se de que o cérebro é muito sofisticado e perfeitamente capaz de assimilar, selecionar e identificar grandes quantidades de informação de uma única vez.

Christine foi uma cliente com quem trabalhei e que sofria de uma longa lista de problemas físicos e emocionais; logo, precisava muito de ajuda e amparo.

Tendo se casado muito cedo com um alcoólatra violento, ela vivia constantemente com medo, agravado pelo estresse e pelas agressões que sofrera dos pais, que tinham as mesmas dependências do marido. Para aumentar a infelicidade, um acidente de automóvel deixou-a com uma dor intensa nas costas e com dificuldade para

Você sabia que...

... uma das melhores formas de se tornar hábil em distinguir as diferentes vibrações angelicais quando as forças espirituais se aproximam é reconhecer verbalmente sua presença? Comece por dizer: "Bom dia, anjo guardião." [pausa] "Bom dia, arcanjos." [pausa] "Bom dia, ministério dos anjos." Então faça mais uma pausa para conectar-se conscientemente com cada frequência.

caminhar. Pouco tempo depois do acidente ela recebeu o diagnóstico de estresse pós-traumático como resultado do acidente e da invalidez. Sentindo-se oprimida e solitária, Christine conseguiu chegar a mim... e ela na verdade precisava fugir para ir à consulta, temendo que o marido descobrisse que ela estava me consultando e a agredisse.

Assim que vi Christine, soube imediatamente que ela estava sofrendo de uma terrível falta de autoestima. Ela se acreditava "defeituosa" e sem escolha a não ser tolerar as agressões do marido, pois isso era tudo o que conhecia. Ao ouvir sua história, cheguei à conclusão que a primeira intervenção deveria ser apresentá-la às forças angelicais, para que ela pudesse sentir-se protegida e livre. No início, ela achou graça na proposta e comentou que precisaria estar realmente desesperada para chamar os anjos. Eu concordei, com naturalidade, mas ressaltei que ela não precisava continuar desesperada — só precisava chamar regularmente seus anjos.

Pedi para ela fechar os olhos, solicitar a presença de seus anjos, tentar sentir-lhes a vibração amorosa e potente e me dizer quando percebesse a presença deles. Quando ela acenou para indicar que achava que os anjos estavam com ela, pedi para ela descrever exatamente o que sentia.

Depois de um momento de hesitação, ela falou que estava envolvida num sentimento de calor e carinho — como se estivesse embrulhada em um cobertor, sendo embalada. Expliquei que era seu anjo guardião, que a protegia e informava que ela estava segura.

De repente, Christine estremeceu, afirmando que sentia um calafrio intenso subindo pela coluna vertebral e uma imensa presença diretamente à sua frente. Eu lhe disse que aquele era Miguel, o arcanjo do amor e da proteção. Com os olhos fechados, ela sorriu e continuou a respirar, focalizando-se nas vibrações, e então as rugas da sua testa suavizaram. Finalmente, ela revelou:

— Se essa força está dentro de mim, você está certa; não preciso ter medo de nada.

— Está certo, você não precisa — garanti. — Não precisa ter medo quando seus anjos estão com você.

Depois de diversas sessões Christine ficou suficientemente segura para tentar se comunicar com os anjos sozinha. Cansada de ter medo, ela chamou diariamente o anjo guardião (e também Miguel, Raguel e o ministério de amparo pessoal) durante várias semanas — e a cada dia se sentia mais forte. Assim como uma orquestra sinfônica afina os instrumentos antes de um concerto, minha cliente sentiu a equipe de apoio entrar em sua vida.

Certa noite, quando o marido chegou bêbado e começou a gritar com ela, Christine sentiu uma fisgada da fraqueza habitual nas costas e nas pernas, e então aquilo subitamente parou. Os anjos chegaram com toda a energia, e naquele momento todos os medos — do marido, da dependência e da deficiência física — deixaram seu corpo. Ela ficou de pé (sem sentir dor pela primeira vez em muitos anos) e, sentindo-se muito forte, olhou para ele e disse: "Já me cansei de você e de toda essa loucura", e saiu calmamente porta afora. Depois disso, ela afirma que se sentiu como se o céu estivesse cantando.

Quando caminhou para fora de sua vida antiga, Christine entrou numa vida nova e cheia de poder: pediu o divórcio, começou a fazer terapia e a frequentar o Al-Anon, conseguiu um emprego que adorava numa loja de plantas e se casou com um homem muito mais gentil e amoroso, com quem teve um filho saudável.

— Se eu não tivesse me conectado com meus anjos e pedido para eles removerem as coisas que me prejudicavam, quem sabe como estaria? A assistência deles salvou minha vida e me deu um filho e duas pernas sólidas para me sustentar.

Agora é sua vez

Refinar sua percepção da presença dos anjos é a melhor maneira de criar com eles uma ligação mais forte. Pratique perceber as diferentes vibrações enquanto toma uma chuveirada ou relaxa numa banheira. (Isso é como praticar escalas num piano.) Lentamente, invoque a vibração de:

- Seu espírito
- Os espíritos das pessoas associadas a você
- Seu anjo guardião
- Os arcanjos
- O ministério dos anjos

Depois de chamar cada um, faça uma pausa para sentir as mudanças sutis que cada vibração específica evoca, sem fazer esforço para que o exercício não pareça trabalho. Use o coração e a imaginação, e não o intelecto crítico. Mais importante ainda é perceber a paz e a calma que o envolvem quando entra em sintonia e se permite desfrutar a complexa e bela coleção de energias que o cercam no nível abstrato.

Durante os próximos dias ou semanas, apenas focalize o sentimento das forças angelicais e se acostume com suas vibrações amorosas e apoiadoras. Diversas vezes por dia pratique discernir essas energias até sentir que se conectou com elas. Uma vez conectado com seus anjos e familiarizado com a ajuda que lhe prestam, você poderá avançar para o próximo nível de apoio e direção do plano imaterial: seus guias espirituais.

PARTE III

Preparação para conhecer seus guias espirituais

CAPÍTULO 7

Perguntas mais frequentes sobre os guias espirituais

O número de guias e recursos espirituais à sua disposição para ajudá-lo durante a vida é infinito. Além de nossos anjos, no Outro Lado existe um número infinito de auxiliares conhecidos como "guias espirituais", tão diversos quanto as pessoas que fazem parte de nossas vidas. Esses guias servem a todo tipo de propósito de curto e longo prazo. Se você imaginar que seus anjos são seus guarda-costas e soldados de infantaria, os guias espirituais são seu corpo de voluntários — dispostos, capazes e prontos a servi-lo quando você chamar.

Diversas perguntas inevitavelmente surgem quando se discute o tema guias espirituais; as respostas podem ser muito específicas, dependendo do guia em questão. Este capítulo serve como "curso de introdução" aos guias espirituais, apresentando respostas genéricas a essas perguntas e lançando um alicerce para explicações mais detalhadas que surgirão quando você for apresentado na próxima sessão do livro aos diferentes tipos de guias espirituais.

Portanto, esperando prestar-lhe as informações mais básicas sobre o mundo espiritual, vou apresentar as quatro perguntas mais frequentes sobre nosso próximo nível de guias:

1. Qual a diferença entre anjos e guias espirituais?

Entre os anjos e os guias espirituais há muitas diferenças importantes, que vão desde a experiência (ou inexperiência) deles na forma humana até seu propósito em nossas vidas, o nível de envolvimento que podemos ter com eles e a forma de comunicação entre eles e nós.

Por exemplo, embora os anjos jamais tenham tido uma experiência terrena, a maioria dos guias espirituais teve pelo menos uma passagem pela Terra, e, têm uma compreensão pessoal dos desafios e das tribulações específicos que enfrentamos como seres humanos. Consequentemente, quando precisamos, os guias estão à nossa disposição, para nos encorajar e auxiliar, e também estão prontos a nos ensinar como cultivar nossas almas e dominar a criatividade humana.

As palavras-chave aqui são *quando precisamos*. Ao contrário dos anjos, que são encarregados por Deus de nos servir o tempo todo, do início ao fim de nossas vidas, e de nos influenciar diariamente — quer estejamos conscientes disso ou não —, os guias espirituais, embora disponíveis, não podem nos servir ou dirigir sem nossa permissão. Eles podem e muitas vezes conseguem com sucesso captar nossa atenção e fazer-nos pedir sua ajuda, mas precisam aceitar que a vida é nossa e eles não podem entrar sem convite.

Finalmente, como estão muito perto de Deus, os anjos têm uma vibração muito mais alta que a dos guias, e é muito fácil se conectar com eles. Eles protegem, inspiram e dão energia e poder. Embora possam nos influenciar por meio de nossas consciências, nem sempre nos dão conselhos diretos ou instruções, o que cabe aos nossos guias espirituais.

2. Quem são os guias espirituais?

Como quase todos os guias espirituais são seres que viveram pelo menos parte de sua existência na Terra, não admira que eles tenham voltado para nos ajudar. Na verdade, alguns guias podem se conectar conosco porque tiveram desafios semelhantes em suas vidas terrenas e querem nos dar orientação para facilitar nossa passagem. Outros ainda podem aparecer para ajudar em certos projetos ou tarefas porque nas vidas passadas foram mestres na disciplina que estudamos ou com que trabalhamos.

Os guias espirituais também podem ser familiares nossos que já faleceram e que, para nos dar orientação e ajuda, escolheram continuar ligados a nós de lá do plano espiritual. Da mesma forma, entidades que talvez tenham compartilhado um importante trabalho espiritual ou relacionamento conosco em vidas passadas podem preferir continuar a trabalhar conosco nesta vida para contribuir para o enriquecimento contínuo de nossa experiência como almas.

Também existem os instrutores espirituais, que são alguns dos guias mais importantes e que desejam nos ajudar a aprender e compreender nossa verdadeira natureza espiritual enquanto nos ajudam no crescimento de nossas almas.

E ainda temos os batedores e mensageiros, guias que viveram as encarnações passadas em grande proximidade com a natureza, como os índios norte-americanos, e que nos ajudam a melhorar a conexão com o mundo natural.

Além de todas essas entidades maravilhosas, não se esqueça de que os guias que vêm assisti-lo podem até mesmo ser o seu próprio Ser Maior, que é tão belo e iluminado quanto qualquer guia que você possa encontrar.

3. De onde vêm os guias espirituais?

A resposta para essa pergunta também é um pouco complicada, já que os guias espirituais vêm de diversos domínios e de campos de energia diferentes. Muitos guias também chegam ao plano terrestre vindos de outras galáxias e sistemas solares. Alguns deles jamais tiveram corpos físicos e se conectam conosco para ajudar a restaurar o equilíbrio e a paz do planeta.

4. quantos guias espirituais nós temos?

Meu professor Charlie Goodman ensinou-me que, em geral, a qualquer momento as pessoas têm acesso a até 33 guias (sem contar os anjos). No entanto, se o indivíduo consegue expandir a consciência e elevar a vibração, esse número pode ser qualquer quantidade de guias com quem ele queira se conectar.

Por exemplo, quando era bem pequena, comecei trabalhando com apenas duas guias. Uma delas apelidei de Dot, porque a percebia como um ponto azul brilhante ou uma luz na minha visão mental (acredito que ela é meu Ser Maior); a outra, que se parece muito com Santa Teresa, eu chamava de Rose, e sinto que compartilhei vidas passadas com ela.

Além dessas duas guias (que continuam a trabalhar comigo durante toda a minha vida), estabeleci uma conexão com outro guia, chamado Joseph, com quem compartilhei uma vida como essênio. Ele também está por perto desde a minha infância e, embora apareça e desapareça, está sempre presente para me ajudar quando preciso dele para questões relacionadas com a saúde física.

À medida que crescia e minha alma continuava a se desenvolver, travei conhecimento com vários dos meus instrutores espirituais. Primeiro, conheci três bispos franceses que na Idade Média estiveram associados aos rosacruzes e que também foram meus instrutores em vidas passadas. Eles estão sempre comigo, assim como duas outras instrutoras de outra galáxia que se autointitulam "As Irmãs Pleiadianas". Sinto que não tenho uma ligação de vidas passadas com elas, mas que elas simplesmente se sentiram atraídas por mim pelo desejo de me ajudar a fazer com que as pessoas tenham uma compreensão melhor de seu objetivo de vida.

Recentemente, estabeleci uma conexão com um novo conjunto de guias que se denominam "Emissários do Terceiro Raio". Esse grupo de guias não trabalha com indivíduos e geralmente aparece para falar a grupos *por meu intermédio*.

Como você pode ver, não só o número de guias em sua vida pode se alterar, mas também os próprios guias e o período que eles passam junto a você podem mudar, evoluir e se transformar à medida que sua alma cresce. Ao longo dos anos tive muitos guias — principalmente auxiliares e guias de cura —, que apareceram e posteriormente foram embora para abrir espaço para novas entidades. Isso acontece o tempo todo... é como uma porta giratória!

O mesmo acontece a meu marido, Patrick, que tem diversos guias leais e belos que o ajudam em muitos aspectos de sua vida. Por exemplo, há Seamus, o rei, um dos seus instrutores espirituais que o inspiram em atividades de liderança; Jean Quille, um guia auxiliar com quem Patrick compartilhou diversas vidas passadas e que trabalha muito para ajudar meu marido a manter o espírito aventureiro e divertido; e Larry, seu guia companheiro que o ajuda a ouvir e se comunicar melhor.

Além desse trio, Patrick também tem se conectado com um artista chamado Vincent, que apareceu há muitos anos para ajudá-lo a pintar (sua maior paixão); e, finalmente, há Mary, uma instrutora que o ajuda a suavizar o coração, expandir a mente e compreender todas as coisas femininas... principalmente as mulheres de sua família!

Minha irmã Cuky, por outro lado, trabalha com muitos guias que são parentes de quem ela era muito íntima durante sua infância em Denver — principalmente vovó e vovô Choquette, e nossa tia-avó

Emma Bernard; todos eles ajudam minha irmã a manter a leveza de espírito e uma atitude amorosa e bem-humorada.

Sendo também médium de cura, Cuky atraiu diversos lindos guias de cura, inclusive muitos antigos curandeiros e guerreiros havaianos e polinésios com quem ela compartilhou vidas passadas. Essas entidades aparecem em seu "consultório", e ela os canaliza por meio de seu corpo enquanto trabalha para limpar resíduos psíquicos do passado e libertar os espíritos de seus clientes. Na verdade, quando Cuky trabalhou em mim (com a ajuda de seus guias), meu espírito foi retirado do corpo e profundamente acalentado e purificado enquanto meu corpo físico era esvaziado de todas as perturbações energéticas.

Você sabia que...

... os guias podem ser auxiliares, curandeiros, instrutores, mensageiros, conhecidos de vidas passadas, parentes, seres supraterrestres de outras galáxias e até mesmo animais?

... você tem o direito de pedir apenas guias mais elevados, e quando faz isso não é obrigado a dar atenção a nenhuma orientação que não lhe pareça correta ou boa?

... quanto mais acessível você for a seus guias e à ajuda deles, melhor será sua vida?

... a única função dos guias é ajudá-lo?

Tenha em mente que alguns guias espirituais são melhores que outros, portanto, é importante ter certeza de que estamos trabalhando com os melhores. Quer tenhamos um corpo, ou não, todos estamos numa jornada em direção a uma consciência mais elevada; então, precisamos lembrar que só porque alguém passou para o plano espiritual e quer servir como guia isso não significa que ele tenha se iluminado instantaneamente.

Isso me recorda Maria, mãe de minha cliente Amy. Depois que foi para o plano espiritual, Maria começou a servir como guia para a filha. Embora estivesse incrivelmente feliz por tornar a estabelecer uma ligação com a mãe, Amy logo percebeu que, como espírito, Maria era quase tão cautelosa e tímida quanto havia sido na vida. Toda vez que Amy queria viajar ou fazer alguma coisa aventurosa ou sofisticada, ela pedia orientação à mãe e imediatamente sentia a resposta "Tome cuidado!" ou "Nossa, isso é muito caro!" em vez de "Vamos lá, aproveite!".

— Passei toda a minha vida resistindo aos medos dela — disse Amy, exasperada. — Agora sinto que ela vai me assombrar até o infinito!

Achando graça, mas solidária, retruquei:

— Por que você simplesmente não para de pedir a opinião de sua mãe para certas coisas? Em carne e osso ou como espírito, ela ainda é a mãe que você conhece e ama, e se vai pedir a opinião dela, não se surpreenda com a resposta!

Era melhor para Amy consultar Maria nas questões em que desejava a opinião dela, tais como a certeza do amor e da contínua presença da mãe em sua vida e seu coração, e não levá-la em consideração para nenhuma decisão que envolvesse aventuras e gratificação de fantasias, já que esse nunca fora o forte de Maria.

Quando se conectar com seus guias, é muito importante ter uma consciência clara de suas intenções. Uma das razões pelas quais os indivíduos têm problemas quando se conectam ou sentem a presença dos guias é o fato de desejarem delegar completamente as próprias vidas. Os guias mais desenvolvidos — aqueles cujas almas são elevadas e que têm um interesse genuíno em apoiar nosso crescimento — se limitam a dar sugestões e *nunca* nos dizem o que fazer. Você pode ter certeza de que a vibração de um guia é elevada (e vale a pena ouvi-lo) se ele se recusar a se conectar com você e interferir quando souber que você deseja que lhe digam o que fazer. Os guias espirituais mais elevados entendem que não estão aqui para dirigir sua vida (nem você deve permitir isso!), e que você está no plano terrestre frequentando uma "escola espiritual" para aprender a reivindicar seu divino poder criativo. Seus guias são apenas tutores... eles não fazem o dever de casa por você!

Agora é sua vez

Conhecer seus guias e aprender a trabalhar com eles é empolgante, e você tornará sua vida mágica e tranquila. Eles querem ajudá-lo sempre que possível e estão simplesmente esperando que você os convide para se envolver.

A melhor maneira de começar a se conectar com seus guias espirituais é passar algum tempo pensando sobre as áreas de sua existência em que eles poderão prestar mais ajuda. Faça um inventário de sua vida e identifique em que áreas as coisas vão bem e onde não vão. Faça uma lista mental ou escrita do que gostaria de experimentar, mas não experimenta. Onde você tem mais interesse em contar com orientação espiritual? Em que empreendimentos ou disciplinas você mais gostaria de ter ajuda? Quando decidir onde quer apoio espiritual, vamos discutir os passos necessários para se conectar com os guias que poderão ajudá-lo a alcançar suas metas.

CAPÍTULO 8

Preparação para encontrar os guias espirituais

Agora que você sabe que tem acesso a uma variedade de belos espíritos que trabalharão com você para fazer sua alma crescer e para ajudá-lo nos desafios do dia a dia, é hora de começar a se preparar para conectar-se com eles. Este capítulo é um manual dos procedimentos para esse fim.

Passo nº1: verifique se você realmente deseja receber orientação

Esse primeiro passo pode parecer óbvio. Na verdade, sempre que faço essa pergunta, a maioria dos clientes e alunos afirma que sim. Eles dizem que, evidentemente, estão totalmente acessíveis — por que outra razão estariam falando comigo? Embora você possa sentir que isso é verdadeiro também para você, minha experiência como guia intuitiva e instrutora demonstrou que as coisas podem não ser tão simples.

Muitas vezes dei a meus clientes sugestões que claramente facilitariam seu caminho e eles ignoraram ou rejeitaram meu conselho. Por exemplo, vi muitas pessoas fazerem anotações frenéticas durante uma consulta apenas para esquecer o caderno de anotações... e jamais voltar para buscá-lo. Cheguei inclusive a ter clientes que falaram durante toda a sessão, preferindo ouvir a própria voz e quase não me deixando tempo para dar alguma orientação. Não há nada errado nisso — mas é muito diferente de buscar ajuda.

Eu mesma já fui culpada de ignorar uma orientação espiritual, como na época em que pedi a meus guias informações sobre uma nova amiga muito talentosa e de quem eu gostava tanto que estava pensando em trabalhar com ela. Eles me avisaram que ela não era uma pessoa com quem se devesse compartilhar um projeto; pelo contrário, era do tipo que quer o projeto só para si. Como não concordava com essa opinião, não dei atenção ao conselho dos guias. Também não levei em consideração minha irmã, meu marido e outros amigos, e até mesmo minhas filhas. Todos disseram que trabalhar com ela seria um problema. No entanto, eu era teimosa e não queria escutar, e mais tarde fiquei realmente surpresa quando a situação acabou exatamente como todos disseram que acabaria! Eu gostava tanto daquela mulher que não enxerguei a ambição que acabou por levar vantagem sobre nossa amizade.

Portanto, como você pode ver, talvez seja muito difícil aceitar orientação e apoio (até mesmo para mim!) quando já decidimos fazer as coisas de determinada forma. Na verdade, há muitos anos, quando os clientes vinham buscar orientação da minha mãe, a primeira pergunta que ela fazia era: "Você realmente quer orientação ou só quer que eu concorde com você?" Só *depois* disso ela dava continuidade à consulta.

Essa é uma pergunta muito boa a se fazer se você quiser ter sucesso na conexão com *seus* guias espirituais. Também é uma boa hora para lembrar que não há nenhum problema em viver a vida toda sem jamais pedir assistência ou apoio; seus guias nunca irão interferir em sua vida. Apenas tenha clareza e seja honesto sobre sua disponibilidade para receber ajuda e saiba que *se* e *quando* quiser, a ajuda estará disponível.

Outra coisa importante que minha mãe me ensinou foi nunca pedir ajuda aos guias se não quisesse ouvir a resposta... porque, se ignorar a orientação deles muitas vezes, eles se calarão. Na prática, isso significa que você tem acesso aos guias e eles ajudarão, mas somente se você permitir!

Passo nº 2: aprenda a acalmar a mente e ouvir sua voz interior

A orientação espiritual é tão sutil que é muito fácil para a mente passar por cima dela e descartá-la, considerando-a um contrassenso. Seu intelecto também pode tentar lhe dizer que se trata apenas de sua imaginação, e isso está certo. Lembre-se de que, como vimos, toda orientação espiritual vem da alma e da percepção por meio da imaginação, e essa é a razão pela qual esse passo é tão importante.

Existem muitas habilidades simples que podemos dominar e que nos ajudarão a receber a orientação espiritual, inclusive a audição profunda e a respiração relaxada. Para praticar a audição profunda simplesmente feche os olhos e ouça sem interrupção um trecho de uma música clássica de que goste e que considere calma. Escolha algo que fale ao seu coração e, enquanto escuta, procure identificar os instrumentos. Enquanto se entrega à música, não se surpreenda se orientações e informações sutis lhe vierem à mente. Quando isso acontecer, aceite-as graciosamente como uma introdução à orientação espiritual.

A respiração relaxada também pode deixá-lo receptivo à sua consciência mais profunda, permitindo que você abra os canais adequados para se comunicar com o mundo dos espíritos. Você pode combinar facilmente a audição profunda com a respiração relaxada na próxima vez que estiver no meio de uma conversa. Basta olhar nos olhos de seu interlocutor e, se possível, compartilhar com ele a respiração (ou seja, inspirar e expirar ao mesmo tempo que a outra pessoa). É fácil fazer isso se você simplesmente observar o padrão de respiração do outro e adotá-lo. Isso estabelece uma vibração em comum e automaticamente abre as portas dos corações de ambos. Então é criada uma conexão de alma a alma, e essa conexão abre caminho para uma ligação mais profunda.

Em seguida, relaxe e respire profundamente no seu próprio ritmo enquanto escuta o que a outra pessoa está dizendo. Assegure-se de deixar que a pessoa termine de falar antes de responder. Depois da respiração relaxada, você pode se surpreender com o que sai de sua boca quando você finalmente se pronunciar!

Você sabe mudar de canal? Experimente...

Uma das minhas ferramentas favoritas é "mudar de canal". Para fazer isso simplesmente diga: "Sobre essa questão, meu cérebro diz [preencher a lacuna]." Então faça uma pausa e em seguida diga: "Meu coração, minha orientação interna, diz [preencher a lacuna] sobre isso." Esse exercício o ajudará a mudar o canal da percepção do vozerio mental para uma frequência espiritual mais alta.

Também é possível dar boas-vindas aos espíritos aprendendo a meditar. Essa sugestão sempre causa em minhas turmas um gemido coletivo; no entanto, esse é um passo necessário para aprender a acalmar a mente e ter disciplina para dirigir a atenção para as vibrações sutis do espírito.

Para meditar, você não precisa se torcer numa posição de lótus e dizer "Om". Você nem mesmo precisa se sentar! Já fiz muitas meditações gloriosas caminhando, cozinhando, arrumando a casa, fazendo jardinagem e até mesmo dobrando a roupa lavada. A chave do meu sucesso pessoal nessa prática é que eu paro de pensar sobre o futuro e o passado e me concentro na respiração enquanto desfruto do mundo ao meu redor — dando minha atenção completa e focalizada apenas ao que estou fazendo no momento. O famoso monge budista Thich Nhat Hanh chama isso de "meditação consciente". Considere esse o período do dia em que você está acessível para receber orientação e apoio, e diga aos seus guias que esse é um bom momento para eles virem, porque sua atenção estará relaxada e você estará livre para ouvir.

Outro passo preparatório é rezar — muito e o tempo todo. Você pode rezar de qualquer maneira que prefira, já que a prece é simplesmente uma conversa com Deus, com o universo e com todos os auxiliares de Deus. Quanto mais você rezar, mais alta será sua frequência, o que facilitará muito a conexão com seus guias.

Quando rezar, você deve não só entregar o coração e a alma para o Criador, mas lembrar-se de agradecer por todas as bênçãos em sua vida. Em particular, as preces de gratidão aumentam sua frequência, abrindo seu coração e focalizando sua consciência em todo o amor e amparo que já estão presentes em sua existência.

Tendo praticado os diferentes métodos para ficar acessível às frequências mais elevadas do espírito, o próximo passo na preparação para se conectar com seus guias é avaliar as áreas para as quais você decidiu que precisa de ajuda, reconhecê-las e depois (isto é muito importante) parar de falar sobre elas. Exercite a disciplina para manter suas conversas otimistas e positivas, já que é muito difícil sintonizar-se com os guias se estiver fascinado pela perturbação e pelo drama.

Você sabe qual é o problema; agora pratique ficar suficientemente calmo para escutar a solução.

Você sabia que...

... quanto mais você der valor às bênçãos e ao apoio que recebe agora, mais fácil será continuar a se conectar com seus guias? Uma das minhas preces favoritas é:

"Criador do universo e de todas as formas de expansão e expressões que amparam a bondade da vida, obrigada por [preencher a lacuna] *com que Vós me abençoastes neste dia."*

Passo nº 3: mexa-se!

Por mais estranho que possa parecer, movimentar o corpo também contribui para nos tornarmos espiritualmente mais receptivos. Afinal, os seres humanos foram feitos para se movimentar e, quanto mais fazemos isso, mais a natureza do espírito da Terra pode nos ajudar a elevar nossas vibrações. Veja a coisa da seguinte forma: quanto mais nos exercitamos, mais água bebemos; dessa forma, damos ao espírito da água mais oportunidades de limpar nossas emoções. Ao mesmo tempo, os espíritos do ar e do fogo elevam nossas consciências, criando nelas um estado ideal para receber a comunicação de nossos guias. Muitos dos meus clientes relataram ter se sentido em unidade com o universo e ter recebido orientações muito claras para suas vidas durante ou após o exercício físico.

Há outra razão pela qual o movimento é muito útil — e pode até mesmo ser essencial — à conexão espiritual: a mente deseja tornar-se fixa para poder deixar coisas de fora, enquanto o espírito é fluido e quer que as coisas fluam. Quanto mais movimentarmos nossos corpos, mais fluiremos com o espírito; quanto mais fluirmos, mais flexíveis nos tornaremos e mais fácil será para nossos guias nos dirigir para nosso caminho.

A flexibilidade é um ingrediente importante para a mudança, portanto, precisamos ter certeza de ouvir a orientação que nos chega se estivermos dispostos a abrir mão da estrutura que muitas vezes acompanha as expectativas. Não posso lhe dizer quantas vezes meus guias me deram um empurrãozinho, fazendo com que eu promovesse uma mudança transformadora em minha vida.

Por exemplo, quando estava na universidade, candidatei-me a participar de um programa de estudos na França, mas fui rejeitada porque minha inscrição foi apresentada depois do prazo. Enquanto lamentava essa perda no gramado da Universidade de Denver, meus guias me sacudiram, sugerindo com toda a clareza que eu procurasse o reitor. Se não estivesse tão acostumada a aceitar as orientações, mantendo-me fisicamente flexível e disposta a agir, minha mente poderia muito bem ter recusado a sugestão. Em vez disso, graças àquele empurrão, levantei-me e caminhei até a sala do reitor. Com a graça a meu favor, embora não tenha marcado previamente, consegui uma oportunidade de apresentar minha solicitação, e não só fui aceita no programa como também recebi uma bolsa integral de estudos. Se eu não tivesse decidido escutar meus guias e agir imediatamente, estou certa de que nunca teria realizado aquele desejo.

Passo nº 4: pare de se fazer de vítima

Talvez a melhor forma de fechar a porta, tanto para os guias quanto para seu próprio espírito, seja dizer "Não tenho escolha". Escolha é algo que sempre temos na vida, e ninguém pode nos tirar... em especial, a escolha da forma como nos vemos.

Você pode dizer a si mesmo que é uma vítima das circunstâncias, com cinco sentidos e sem poder — ou pode convidar o espírito do sexto sentido a fazer parte de sua vida e se encarregar de suas circunstâncias com essa orientação. Se eu fosse você, escolheria a segunda opção. Reconheça e aceite que é um espírito e parte importante desse lindo mundo — criado por Deus, protegido pelos anjos, supervisionado pelos arcanjos, auxiliado pelo ministério dos anjos e totalmente apoiado por seus guias; tudo isso porque você é precioso, sagrado, nobre e amado. Considerando seu lugar no universo, faz sentido que você receba ajuda. Afinal, qualquer ser tão valioso e precioso quanto *você* naturalmente receberá todos os recursos necessários para florescer!

Passo nº 5: torne-se alguém que perdoa e não julga

A última maneira (talvez a mais importante) para se preparar para receber o espírito é parar de julgar a si mesmo e aos outros, e *perdoar, perdoar, perdoar*. Nada confunde mais os circuitos psíquicos e nos desconecta das frequências mais altas tão depressa e totalmente quanto ser crítico e guardar ressentimentos. Essas energias negativas não só nos impedem de receber orientação como também nos desconectam de nosso espírito, dos outros e do mundo natural.

Sei que isso é muito difícil, mas se pensar bem você verá que as atitudes de perdoar e não julgar dão muito menos trabalho do que condenar. Nós, seres humanos, somos manifestações do espírito divino que vibra ao mesmo tempo nos diferentes níveis da consciência e em diferentes frequências. Tal como as células do corpo, estamos todos juntos neste planeta. Quando uma célula do corpo ataca outra, chamamos a isso de câncer. Da mesma forma, quando atacamos uns aos outros, ou a nós mesmos, por meio da condenação, do julgamento e da crítica, isso não é menos canceroso ou tóxico para todo o nosso ser: corpo, mente e alma.

O benefício de não julgar é permitir que a percepção seja canalizada para ver coisas importantes como nosso próprio espírito, o espírito da natureza, nossos anjos e nossos guias. A maneira mais fácil de se libertar do hábito de julgar e guardar ressentimento é simplesmente afirmar diariamente sua intenção de fazer isso. Afirme: *Eu me perdoo por criticar e guardar ressentimento. Eu me liberto de todas as críticas e ressentimentos e também de todas as percepções negativas. Com minha respiração, compartilho meu espírito com todos e retorno à paz e ao equilíbrio. Assim seja.*

Agora é sua vez

Charlie, meu instrutor, disse certa vez: "A melhor maneira de você se conectar com seus guias é por meio de um agudo senso do óbvio." Comece a se tornar mais consciente de onde você busca orientação na sua vida diária. Adquira o hábito de começar cada tarefa com uma rápida prece para pedir ajuda e amparo. Por exemplo, quando tomar um banho de chuveiro, pela manhã, peça orientação para o dia que começa; enquanto dirige para o trabalho, peça orientação sobre o caminho mais fácil e menos estressante; se usar o transporte público, peça ajuda para conseguir o melhor lugar no trem, ou no ônibus, ter um companheiro de assento agradável e chegar no melhor momento.

Entre em contato com seus guias durante o dia. Por exemplo, quando estiver trabalhando em um projeto, peça orientação para realizar seu trabalho com facilidade, rapidez e criatividade. Também pode ser útil consultar seus guias sobre o que (e como) falar quando tiver conversas difíceis com grupos ou indivíduos que o intimidem. Você pode até mesmo pedir sugestões sobre onde almoçar e o que comer.

No nível físico, é muito importante se lembrar de dobrar-se, alongar-se e se mover para manter a flexibilidade. Toda manhã, respire fundo e espreguice-se antes de sair da cama; então fique de pé, estique os braços e dobre-se devagar, procurando tocar os pés. (Sem fazer esforço — não force as costas!) Enquanto escova os dentes, gire delicadamente o tronco para os lados e alongue a cintura, encerrando a rotina com alguns giros de quadris nas duas direções, para mantê-los flexíveis. Tudo isso melhorará sua circulação e também fará você mais acessível à orientação.

Você também pode tentar estacionar a algumas quadras do trabalho e caminhar até o escritório. Ou, se estiver usando transporte coletivo, saltar do ônibus ou do trem a algumas quadras de distância e caminhar, reservando tempo suficiente para andar devagar e desfrutar do exercício e da vista.

Durante o dia, não se esqueça de guardar tempo para escutar com atenção e meditar. Sempre que possível, compartilhe a respiração com seu interlocutor.

Finalmente, antes de se deitar, faça uma recapitulação do dia e, sempre que necessário, perdoe, esqueça, deixe de lado e se abra para as frequências mais altas. Se preciso, escreva o que o perturbou durante o dia e o que ainda o incomoda, e peça para ser orientado durante o sono, de modo a apagar essas frustrações e esses obstáculos. Vá dormir com a intenção clara de liberar completamente o dia e de ter um sono tranquilo. Você colherá imediatamente os benefícios e logo terá criado um caminho livre para se conectar com todos os seus guias.

CAPÍTULO 9

Iniciando o contato com seus guias

Quando você se dispõe a compartilhar com seus guias suas preocupações, seus desafios e sucessos, eles, por sua vez, farão com você um contato sutil, porém direto, aproximando-se inicialmente com muita delicadeza. Na verdade, até se familiarizar mais com as vibrações específicas deles, você talvez ache que está imaginando a conexão e talvez decida não lhe dar atenção.

Um dos maiores obstáculos para uma ligação com os guias é ter expectativas pouco realistas sobre o que é receber orientação. A maioria das pessoas se surpreende com a sutileza dos guias. Condicionados por Hollywood e por filmes de terror de baixa qualidade, esperam que seres estranhos em trajes espaciais desçam do céu no meio da noite quando, na realidade, a maior parte da orientação dos espíritos é tão sutil quanto o roçar de uma asa de borboleta sobre o rosto. Portanto, se estiver esperando por uma voz tonitruante ou pela aparição de Merlin ao pé de sua cama, provavelmente ficará decepcionado.

O contato com os guias espirituais acontece num nível profundo e íntimo, e não na forma de uma entidade externa que se aproxima de você. A arte e a habilidade de perceber com precisão os guias resultam da capacidade de sintonizar-se confortavelmente e ouvir essas sutilezas, aceitando-as como comunicações importantes.

Por exemplo, quando me conectei com minha primeira guia, eu a percebia como um ponto azul brilhante que planava acima de mim quando meus olhos estavam fechados. No momento em que abria os olhos, ela desaparecia. Depois que aprendi mais sobre os guias, descobri que esse nível de comunicação sutil é muito comum. A maioria dos guias espirituais entra em contato conosco de uma forma que, pelo menos nos primeiros tempos, nos faz achar que estamos ouvindo nossa voz interior. Contudo, a diferença está no que se encontra *entre* sua voz e a voz do seu guia.

Em uma de minhas oficinas de intuição, conversei com uma mulher chamada Susan que teve uma experiência como essa, mas se sentia empacada e incapaz de se conectar com os guias. Ela se queixava de só conseguir ouvir a própria voz.

— Você tem certeza? — perguntei. — O que sua voz dizia?

— Pedi a meu guia para me dar alguma luz sobre meu casamento complicado e para me ensinar a brigar menos.

— E o que sua voz respondeu? — perguntei.

— Ela disse que eu parasse de me focalizar no meu marido e pensasse na possibilidade de voltar a estudar.

Fiquei sentada em silêncio ao lado dela por um momento e depois perguntei:

— Você costuma dizer isso para si mesma, ou é alguma coisa em que nunca pensou antes?

— Nunca imaginei que voltar a estudar fosse uma solução para meus problemas conjugais. Sempre pensei em terapia de casal, psicoterapia, até mesmo em me separar, mas nunca em voltar a estudar.

— Então, o que você acha dessa sugestão? Você gostaria de voltar a estudar?

— Claro, eu adoraria — respondeu Susan, entusiasmada. — Sempre quis fazer um curso superior, mas me casei e esqueci o assunto.

— Então me parece que você *recebeu* uma excelente orientação.

Ainda em dúvida, Susan perguntou:

— Você acha isso? Mesmo quando sinto que era minha própria voz?

— Talvez você sentisse que era sua voz, mas aquilo era uma ideia ou pensamento que você normalmente teria ou alguma coisa completamente diferente?

— Era diferente, era mesmo surpreendente... por isso achei que estava inventando aquilo.

Eu a tranquilizei:

— Essa é a natureza da orientação dos guias. É tão sutil e natural que se não tiver cuidado você pode perdê-la. Ela, em geral, oferece alguma coisa diferente do que você normalmente pensaria. Então, a orientação que você recebeu lhe agrada?

— Sim — respondeu Susan. — Na verdade, quanto mais penso nisso, mais acho que faz sentido. Estou impaciente para crescer no meu trabalho e sinto que adiei meus sonhos para ser uma boa esposa e mãe em vez de ser eu mesma, o que em parte explica a minha infelicidade. Se isso *é* meu guia me ajudando e não uma invenção minha, então me sinto muito conectada e estou pronta para ouvir mais orientações.

Conforme revelei a Susan, uma das chaves para o sucesso no contato direto com os guias é praticar falar em voz alta — sem censura — qualquer orientação interna que recebamos. No mundo insensível dos cinco sentidos estamos condicionados a duvidar de nós mesmos e a delegar nossas vidas para qualquer voz externa de autoridade. No mundo dos seis sentidos, nossa voz interior é a maior autoridade, prevalecendo sobre qualquer outra. Precisamos escutá-la, respeitá-la, repeti-la em voz alta e honrar o que sentimos sem hesitação e sem desculpas.

E lembre-se de que a função mais importante dos guias espirituais é estabelecer a ligação com sua alma e dar sugestões sutis... porém apenas quando são convidados para isso. Ao conversar com seus guias, você simplesmente testa suas opções, da mesma forma como troca ideias com um confidente — e quanto mais você conversar com eles, mais eles responderão.

Quando eu estava aprendendo a me conectar com meus guias, com frequência perguntava a Charles, meu instrutor, sobre o mundo espiritual, e a resposta dele sempre era: "O que dizem os seus guias?"

Tímida, com medo de estar errada e parecer idiota, eu murmurava:

— Não sei.

Ele ria e respondia:

— Pergunte a eles.

Envolvida na aura de amor, graça e segurança que ele projetava, eu me voltava para dentro, examinando e cutucando o coração em busca de inspiração. Mesmo com medo de que se tratasse apenas de minha voz, eu arriscava uma resposta. O emocionante não era a resposta, mas o fato de estar sentada aos pés de uma grande figura

Você sabia que...

... no que diz respeito aos guias espirituais, você estará construindo um relacionamento com seres luminosos que nos ajudam com amor e amizade? Como todos os bons amigos, eles sempre escutam e não fazem críticas, nunca tentam controlar você ou lhe dizer o que fazer, e não o lisonjeiam nem alimentam seu ego.

de autoridade, recebendo dele o poder para conversar com minha voz interior (e com as vozes de meus guias) sem precisar me sentir temerosa ou defensiva. No início, era estranho — embora eu tivesse crescido num mundo cheio de espíritos —, mas, depois que peguei o jeito, a sensação passou a ser de algo tão autêntico e real que não havia como recuar.

Recentemente, dirigi um workshop de quatro dias sobre como se conectar com os guias. Havia na classe uma bela mulher que era médica e praticante da medicina ayurvédica. Quando pedi aos alunos para se conectarem com seus guias e fazer-lhes perguntas, ela afirmou: "Não acho que esses sejam os meus guias. Acho que sou eu e que sou muito inteligente."

Pedi para ela subir ao pódio e verbalizar abertamente sobre seu eu interior. Ela caminhou com segurança para a frente da sala, porém, assim que encarou a plateia, sofreu uma mudança na vibração e na autoconfiança. Subitamente, ela parecia um animal selvagem apanhado pelos faróis de um automóvel e começou a chorar por se sentir tão insegura. Logo ela descobriu que, para quem foi treinado desde o nascimento para esconder aquilo, escolher fazer a conexão, confiar e expressar sua experiência interior pode ser um grande desafio.

Da mesma forma como surgiram, as lágrimas desapareceram, e emergiu um ser renovado e aliviado. Foi então que pedi a ela para revelar o que havia perguntado aos guias e nos dar apenas a resposta de seu "eu inteligente".

— Eu perguntei como posso ser uma médica e curandeira melhor. A resposta deles foi "Seja você mesma".

— Essa é a resposta do seu eu inteligente? — perguntei.

— Acho que sim.

— Bem, vamos conversar mais para descobrir. Pergunte a seu ser interior o que significa ser você mesma.

Ela fez isso e respondeu:

— Ser honesta, amorosa e dedicada.

Depois de uma pausa, acrescentou:

— Compartilhar com os outros minhas capacidades intuitivas e a capacidade de compreender os sofrimentos deles, principalmente quando diante da perda do amor e do apoio na família, e deixar que eles saibam que eu posso usar minha habilidade para amá-los e ajudá-los a se curar.

Observei que a vibração dessas palavras era completamente diferente: elas eram claras, simples e reais. A turma concordou, e eu perguntei a ela:

— Isso é seu eu inteligente de sempre ou alguma coisa diferente?

Ela hesitou e respondeu:

— Não, este não é meu eu de sempre. No fundo acho que gostaria de ser assim, mas, como médica, é muito arriscado ser tão pessoal com meus pacientes. Em geral, eu nunca seria tão acessível e direta. Só tento fazer meus pacientes saberem que os amo, mas *nunca* digo isso.

— Você consegue perceber a diferença entre essa comunicação e a comunicação de seu eu inteligente de sempre, embora os dois entrem em sua percepção com a mesma voz? — perguntei.

Ela assentiu:

— Se eu fosse realmente analisar essa diferença, teria de dizer que escutei e não dei atenção a essa outra voz, e que ela realmente *é* percebida como um guia. Na verdade, quanto mais presto atenção a ela, mais ela se parece com a voz da minha avó, que eu conheci quando era pequena. Ela sempre me disse que o amor cura. Você acha que ela poderia ser meu guia?

— Pergunte a ela.

— Você é minha avozinha? — ela perguntou.

Então sorriu, porque a voz respondeu: "Sou, e estou feliz porque você finalmente está me escutando."

A turma e eu rimos, porque sentimos a verdade na vibração da voz dela.

Agora é sua vez

Sempre que estiver em dúvida ou precisar de orientação, fale em voz alta: "Vou perguntar a meus guias." Então, faça exatamente isso. Em seguida, deixe que eles respondam. Diga: "Eles dizem [preencher a lacuna]." Não se preocupe com a possibilidade de estar inventando coisas — limite-se a ouvir o significado e a vibração das palavras que surgirem quando você deixar seu eu interior falar livremente. Pratique isso durante dez a 15 minutos por dia.

Também é muito útil trabalhar com amigos que sejam receptivos e confiáveis e que compartilhem seu interesse e seu desejo de conectar-se com os guias. Peçam alternadamente aos guias uma intuição — primeiro você, depois seu amigo. Então, com cada um servindo de testemunha para o outro, falem em voz alta tudo o que vier do eu interior, selecionando as diferentes vibrações na resposta. A chave é ficar à vontade, apreciar a conversa e tratar os guias como normais e importantes. Tente se divertir com esse exercício e desfrutar do processo de exploração.

Conectar-se com os seus guias é a arte da comunicação sutil, e quanto mais você praticar revelar seu mundo *interior*, mais ele se tornará parte confortável de seu mundo *exterior*.

CAPÍTULO 10

Um passo além: escrever para seus guias

Além de conversar com os seus guias, outra forma direta de se comunicar com eles é escrevendo. Em vez de repetir em voz alta as mensagens que eles transmitem verbalmente, você pode escrever suas perguntas em um diário ou bloco de notas e receber as respostas por escrito. A escrita guiada (ou psicografia) funciona muito bem porque se baseia num princípio que já discutimos antes: as mãos são canais diretos para o coração — o lugar de onde os guias nos falam.

Como começar

Quando estiver se preparando para entrar em contato com os seus guias, é melhor escrever para eles num momento específico do dia em que esteja relaxado e não vá ser interrompido, *e só então escreva*. Se tiver dúvidas antes da sessão de escrita, anote-as em um bloco à parte e reserve-as para depois do compromisso. (No entanto, não se surpreenda se as respostas surgirem quando você estiver escrevendo.)

Quando for a hora de começar, encontre um lugar onde possa fechar a porta, desligar o telefone e garantir alguma privacidade.

Observe que eu disse *privacidade*, e não *segredo*... esse é um ponto muito importante sobre o qual quero falar, porque muitos clientes já me disseram que precisam esconder de seus próximos os esforços para contatar os espíritos porque, por exemplo, o cônjuge não vai aprovar ou a família condenará a iniciativa. Ao contrário da privacidade, que é uma escolha positiva, o segredo revela vergonha. Se tentar contatar seus guias guardando dúvidas ou fazendo segredo, você correrá o risco de atrair entidades de vibração mais baixa (ou guias que não são muito elevados, que não têm muito a oferecer), em vez de atrair os guias de alta vibração, que podem servi-lo melhor.

Contatar os guias espirituais é seu direito como ser espiritual, e você não precisa da aprovação dos outros para desenvolver sua alma e buscar apoio para isso. Se estiver trabalhando para entrar em contato com seus guias e correr o risco de encontrar reações negativas de terceiros, proteger-se e ser discreto quando toma essa iniciativa é uma atitude de saúde e autorrespeito.

Dito isso, quando se sentar pela primeira vez para começar a psicografar, é importante que você declare sua intenção de só trabalhar com guias espirituais de alto nível. Uma maneira de conseguir isso é fazer uma oração curta pedindo a proteção de seus anjos e só permitir a entrada em sua frequência de guias de alta vibração enquanto escreve. Você também pode acender uma pequena vela para simbolizar a luz de seu espírito e para sinalizar que só pretende receber orientações que apoiem o que seu espírito tem de melhor.

A primeira pergunta que meus alunos me fazem é se devem escrever aos guias manualmente ou usar um computador. Por hábito, eu costumava dizer que escrevessem usando papel e caneta (por ser mais natural e passar ao largo do cérebro), mas depois encontrei pessoas — como meu marido, Patrick — que ficam nervosas quando escrevem à mão porque têm uma caligrafia horrível; ou como minha filha, que sofre de dislexia e fica confusa quando tenta escrever. Todos os dois acham muito mais fácil trabalhar com um computador, portanto, agora, embora eu aconselhe escrever à mão sempre que possível, sugiro trabalhar com computador se manuscrever for motivo de estresse.

Quando escrever manualmente para seus guias, você tem duas opções: (1) usar a mão dominante para escrever a pergunta e a outra mão para escrever a resposta; ou (2) mudar o canal mentalmente e usar a mão dominante para as duas coisas. (Naturalmente, se usar um computador, você digitará tanto as perguntas quanto as respostas.) Os guias não se importam com o método utilizado. Eles se apresentarão quando você pedir, então, aja como preferir — lembrando-se de que a chave é escrever depressa e criar um fluxo.

Uma vez tendo estabelecido sua intenção e estando pronto para começar a escrever, apresente-se e peça orientação da seguinte forma: *Eu sou* [seu nome] *e estou pedindo a meus guias espirituais assistência e apoio neste momento.* Seja educado e respeitoso e lembre-se de que está pedindo ajuda e não entregando a direção de sua vida ao mundo espiritual. Faça suas perguntas da forma adequada e evite questões do tipo "Será que devo?"; em vez disso, simplesmente pergunte: *Que orientação você me dá sobre* [preencher a lacuna]*?*

Aborde seus guias com gentileza e não os bombardeie com excesso de perguntas de uma vez. Limite-se a fazer três ou quatro perguntas e não fique obcecado com questionamentos do tipo *Quem é você?* Os guias costumam responder por escrito em grupo. Apenas tenha confiança de que pediu ajuda aos guias mais elevados para seu exercício de escrita e deixe as coisas assim.

Faça perguntas simples e diretas. Seus guias estão intimamente ligados a você e conhecem suas lutas muito mais do que você imagina, portanto, não há necessidade de detalhes. Por exemplo, você pode escrever: *Estou tendo problemas para achar um emprego gratificante e me sinto desestimulado e frustrado. Que orientação vocês podem me dar sobre a natureza desses obstáculos e que passos devo dar para avançar?* (Os guias são espertos, tenha certeza de que eles conseguem ler nas entrelinhas.)

Depois de escrever a pergunta, levante a caneta por um momento, abra o coração e volte sua audição para dentro; confie em seu corpo; relaxe; então, segurando a caneta com leveza, comece a escrever novamente, quando sentir o impulso. Os guias gentilmente o estimularão a escrever, portanto, não tenha medo de que sua mão seja "sequestrada". Embora eu tenha passado por ocasiões em que meus guias estavam tão entusiasmados, e eu, tão acessível, que senti como se uma grande força tomasse conta de mim, em geral — pelo menos no início — a necessidade de escrever é sutil, logo, quando senti-la, comece. Você pode conseguir apenas algumas palavras ou pode receber páginas de orientações, dependendo do seu grau de receptividade e calma. Se estiver genuinamente acessível ao insight e disposto a crescer, você poderá receber muito.

Quando psicografar, você saberá que está recebendo orientação dos guias pelo conteúdo — por mais sutil que ele seja —, porque, mesmo quando você escreve ideias que já teve, a vibração será percebida como ajuda. Por outro lado, se receber uma orientação que o deixe pouco à vontade, jogue-a fora ou queime-a, porque uma entidade de baixa vibração pode ter se insinuado e dado uma opinião inútil. Trate essa orientação como trata qualquer mau conselho, venha de onde vier: não lhe dê atenção.

Para ter sucesso nessa atividade, seja regular, mas não obsessivo. Procure seus guias uma vez por dia, se quiser, mas não gaste mais do que meia hora nesse exercício. É melhor receber a orientação em pequenas doses e deixar que ela se estabilize. Saboreie e pense sobre ela, verifique se ela o deixa tranquilo, estável e feliz; por fim, entregue a orientação a seu espírito para uma análise final.

Uma cliente chamada Bernice usou o método do papel e caneta para pedir orientação em sua luta contra o excesso de peso. A pergunta dela foi simples: *Por que tenho excesso de peso e o que posso fazer para perdê-lo?* Então, ela se sentou tranquilamente, pronta para receber informação. Depois de trinta segundos sentiu um impulso de escrever, e a caneta decolou. Ela sentiu os guias transmitindo respostas tão depressa que quase não conseguia acompanhar.

Você sabia que...

... quando busca orientação dos guias, não está apenas procurando alguém que concorde com você? Os guias realmente elevados apoiam o crescimento de sua alma e o inspiram; se sua solicitação for genuína, o canal o ajudará muito.

Para começar, Bernice escreveu que em uma vida passada foi uma princesa polinésia para quem o peso era uma grande fonte de poder e orgulho. Muitos súditos amavam e respeitavam seu vasto abdome como símbolo de grande prosperidade. Ela escreveu que sentia falta dessa atenção especial e queria que as pessoas a admirassem novamente — razão pela qual relutava em perder os quilos a mais.

Em seguida, ela mudou de canal, e o tom da comunicação mudou. Ela escreveu que seus níveis de insulina eram muito altos e que uma dieta vegetariana com refeições frequentes estabilizaria e acalmaria seu sistema nervoso.

A escrita mudou mais uma vez, e ela escreveu que durante a infância havia sido amada e festejada por ser uma "boa menina", e parte dos elogios vinha do fato de comer bem e limpar o prato. Bernice acabou por escrever que seu peso se equilibraria quando ela parasse de viver em função da aprovação dos outros.

Lendo o que escreveu, Bernice ficou maravilhada, porque aquelas informações nunca haviam passado por sua cabeça, mas ela sentiu num nível muito profundo e harmonioso que aquilo estava certo. Ela usou as informações que recebeu para fazer mudanças positivas em sua vida. Primeiro, fez com que seus níveis de insulina fossem verificados, e eles eram perigosamente altos — tal como os guias haviam indicado. Quanto a se tornar vegetariana, sendo uma carnívora do meio-oeste, minha cliente inicialmente zombou da ideia, mas, como sentia muita letargia, resolveu experimentar... e nos quatro meses seguintes perdeu 24 quilos. Finalmente, para receber uma atenção positiva por algo que não fosse comer, Bernice entrou para o coral de sua igreja, onde sua linda voz lhe deu oportunidade de cantar solos que realmente mostravam seu talento.

Quando perguntei a Bernice o que achava da questão de vidas passadas, ela respondeu: "Quem sabe? Estou perdendo peso, portanto, não vou duvidar disso!"

Da mesma forma, meu cliente Tim aprendeu que não existe limite para a orientação que pode ser recebida por meio da psicografia quando, algumas semanas depois de começar, ele se viu escrevendo um romance que havia muito tempo queria começar.

Outro cliente, Mitch, pediu aos guias conselhos sobre sua vida amorosa, e a resposta por escrito foi *lanchonete* — o que ele considerou absurdo, e jogou fora. Três semanas depois um colega de trabalho o convidou: "Vamos almoçar? Uma lanchonete nova acabou de ser inaugurada a duas quadras daqui." Sem perceber a ligação, Mitch entrou na lanchonete e imediatamente ficou fascinado com a atendente da caixa — e ela pareceu igualmente interessada.

Eles trocaram olhares e, quando lhe entregou o pedido, ela disse: "Nós fechamos às 17 horas, se você estiver livre à tarde..." Eles marcaram um encontro para tomar um drinque, e só no terceiro encontro Mitch entendeu que havia sido guiado para aquele lugar. Naquela noite, quando estava quase pegando no sono, ele subitamente se lembrou do que escrevera e no mesmo instante pediu desculpas e agradeceu aos guias pela orientação.

Agora é sua vez

Quando escrever para seus guias, é importante relaxar e não se preocupar se não conseguir estabelecer o contato. Eles *irão* responder, mas isso pode levar alguns minutos — ou mais tempo. Na verdade, podem ser necessárias algumas sessões antes de receber uma resposta. Tente ser paciente... eles responderão!

Para praticar escrever para seus guias, simplesmente siga os passos:

- **Passo nº 1**: Trabalhe num lugar calmo e sem interrupções; antes de começar, acenda uma pequena vela e faça uma prece curta pedindo proteção contra energias de baixo nível.
- **Passo nº 2**: Declare sua intenção, escrevendo: *Quero conversar somente com guias de vibração mais elevada.* Em seguida, apresente-se escrevendo: *Sou* [seu nome] *e estou pedindo assistência neste momento.*
- **Passo nº 3**: Escreva suas perguntas, uma de cada vez, e depois levante a caneta e relaxe.
- **Passo nº 4:** Deixe a caneta parada, mas segure-a com leveza e esteja pronto para deixar os guias assumirem e responderem às perguntas por escrito. Espere que as ideias de seus guias fluam para dentro de sua mente e daí para o papel. Não deixe sua mente censurar o que está escrevendo ou levá-lo a acreditar que você está apenas inventando coisas — lembre-se de que a orientação é sutil e parecerá natural. Quando o fluxo parar, baixe a caneta e releia o que escreveu.

Como advertência final, sugiro que você guarde todos os escritos no mesmo diário ou bloco de notas e não jogue nada fora (a não ser, naturalmente, o que o deixar pouco à vontade; queime essas mensagens). A orientação recebida pode não ser o que você espera ou deseja, ou você pode não compreendê-la imediatamente, mas deve guardá-la mesmo assim. Veja bem, de acordo com minha experiência, a maioria das orientações dos guias, quando não faz sentido imediatamente, faz sentido depois de algum tempo. Como regra geral, guarde seus escritos e volte a eles mais tarde. Se ainda não entendê-los, peça mais informações aos guias em outra sessão de psicografia e então, se a mensagem ainda não ficar clara, deixe-a de lado.

CAPÍTULO 11

Aprendendo a ver os guias espirituais

Ver os guias talvez seja a forma mais difícil de conectar-se com eles, já que eles se encontram em um plano da existência completamente diferente, de vibração não física, e precisam fazer um esforço imenso para modificar a própria frequência para que você possa vê-los. Ao mesmo tempo, sua própria frequência precisa alcançar um nível mais elevado para ativar o que é conhecido como "terceira visão" (a visão interior, com que você imagina), o sentido que usamos para ver nossos guias.

Aqueles que possuem uma visão interior muito ativa e desenvolvida têm mais possibilidade de ver os guias rapidamente. Se você não tiver facilidade para visualizar imagens, não se preocupe. Todos nós temos um olhar interior que funcionava muito bem quando éramos crianças — na verdade é por essa razão que tantas crianças conseguem ver guias e anjos... embora essas entidades costumem ser chamadas de "amigos imaginários". Infelizmente, quando começamos a frequentar a escola somos condicionados a parar de utilizar a visão interior; pelo contrário, somos estimulados a voltar a atenção para fora, para obter direção, o que gradualmente desconecta nossa capacidade de ver o mundo espiritual.

O bom é que com um pequeno esforço, a velha amiga paciência e alguma prática podemos reativar esse canal natural para o mundo dos espíritos e começar realmente a "ver" os guias. Na preparação para contatar seus guias espirituais, experimente fazer os seguintes exercícios que o ajudarão a reabrir sua visão interior:

Exercício nº 1: aprender a estar no presente

Para começar, examine atentamente o ambiente ao seu redor e observe cada detalhe do que está diretamente em frente ao seu rosto. Isso pode parecer contraditório: por que se concentrar na realidade física quando se busca ver o plano espiritual? Bem, a maioria das pessoas está tão aprisionada a recapitular o passado ou imaginar o futuro que não se concentra no presente. Portanto, acaba por perder o aqui e agora.

Ver os guias é apenas ter capacidade para focalizar no que está diretamente à sua frente — porém em outra dimensão. Para desenvolver essa capacidade você precisa praticar ver tudo ao seu redor, o que estimulará e tornará funcional seu olhar interior.

Exercício nº 1: reserve tempo para sonhar acordado

Se sua vida for excessivamente atarefada ou você trabalhar com um cronograma muito apertado, será um grande desafio entrar em contato com seus guias por meio dos devaneios, porque isso exige um investimento maior de tempo e mais focalização do que se conectar com eles telepaticamente. Contudo, se você se dispuser a fazer um esforço maior, terá sucesso.

Quando crianças, todos brincávamos de "sonhar acordado"; ao fazer isso, com frequência deixávamos o corpo e nos conectávamos com nossos guias espirituais e até brincávamos com eles. A instrução mais debilitante que recebemos na infância foi "pare de sonhar acordado!". Quando paramos, perdemos o contato com muitos curandeiros, anjos e espíritos amigos que nos ajudavam.

Deixar a mente divagar tira nossa focalização do plano linear e físico, treinando e expandindo a visão interior para enxergar mais além. Quando eu estava começando a aprender a ver os guias com meu instrutor Charlie, ele continuamente me dizia que a aparência física é a representação menos exata de qualquer ser. Ele me encorajava a não focalizar nas aparências e a olhar mais profundamente para dentro das pessoas e coisas. Uma vez que você se treine para fazer isso e para ver a essência das coisas — inclusive a própria —, só será preciso um pequeno passo para começar a ver claramente os guias.

Antes de começar esse exercício, assegure-se de estar numa condição estável, sem perturbação. Se estiver agitado, poderá começar por chamar o ministério dos anjos para acalmá-lo e estabilizá-lo. Depois disso, você poderá começar, mas limite a atividade a dez a 15 minutos por dia. Para realizar esse exercício, não é preciso ir a um lugar especial; a prática pode ser feita no ônibus, no trem ou no carro (desde que você não esteja dirigindo!). Também pode ser feita enquanto cozinha, lava a louça ou corta a grama. Onde quer que você esteja, tente imaginar que aparência tem seu espírito, a sensação e os sons que lhe são característicos... e pense no que o deixa feliz. Faça um esforço para vê-lo em três dimensões e em cores, imaginando tudo sobre estar vendo seu espírito com a visão interior e com o maior número de detalhes que puder.

Depois de praticar esse exercício por algum tempo, procure ver com o olhar interior o espírito das pessoas amadas — imagine os espíritos de seus filhos, pais, parceiro e até mesmo de seus animais de estimação. Não tenha pressa; desfrute desse exercício durante várias semanas. Isso ativará sua visão interior, elevará sua vibração e o treinará para ver mais que as aparências físicas e para se sintonizar com as frequências mais altas.

Tive uma cliente chamada Sarah que imaginou ver o próprio espírito durante várias semanas, e toda vez que fazia isso ela se imaginava galopando pelo campo num belo cavalo acastanhado, com os cabelos voando ao vento em todas as direções. (A cena era muito diferente de sua atividade de responsável pelas admissões num hospital municipal!) Ela começou a sentir que o próprio cavalo era seu guia, e com esse devaneio focalizou cada vez menos em estar montada no cavalo e cada vez mais em ver para onde o animal a levava. Depois de várias semanas sonhando acordada, os dois acabaram por chegar a Provo, Utah.

Sarah, que vivia em Cleveland, não sabia nada sobre Provo, e pensou que era uma bobagem deixar seu cavalo levá-la para lá. No entanto, ela manteve a mente aberta, e imagine sua surpresa quando dez meses depois, em uma conferência sobre saúde, foi apresentada a um quiroprático chamado Fred — que era de Provo. Ele revelou que estava abrindo o primeiro centro alternativo de cuidados de saúde em Cleveland. Depois de uma curta conversa, Fred perguntou se Sarah estaria interessada em fazer uma loucura e administrar o centro para ele.

O sonho da minha cliente começou a fazer sentido e ela aceitou a oferta, começando a maior aventura profissional de sua vida! Para se lembrar de como chegou ao centro, ela colocou sobre a escrivaninha um cavalinho de bronze.

Sarah conseguiu ter sucesso nesse exercício porque estava disposta a dar todos os passos necessários para ver os guias: (1) querer vê-los; (2) acreditar que os veria; e (3) aceitar o que for visto. Nem todos os guias tomam a forma humana ou um corpo físico, portanto, se contarmos com isso, o exercício provavelmente será decepcionante.

Quando comecei a tentar ver meus guias, o primeiro apareceu na forma de um ponto azul brilhante que planava sobre a minha cama. Minha irmã Cuky vê um dos guias dela — nossa falecida tia Emma —

não com a aparência que tinha em vida, mas na forma de uma poça d'água que aparece num canto do quarto. E quando um cliente chamado Marvin começou a trabalhar sinceramente para ver seus guias, só enxergava nuvens de penas brancas, como se um travesseiro de penas tivesse explodido. Ele aceitou que esse era seu guia e passou a chamá-lo de "Pena Branca".

Da mesma forma, minha cliente Dahlia, originalmente, via seu guia como uma garça azul-clara que se sentava à sua frente e passava mensagens telepáticas. Depois de um tempo, a garça azul se transformou num belo ser azul-claro cujo nome (que minha cliente soube por telepatia) era Erin. Às vezes ela vê a garça e às vezes vê Erin. É sempre uma surpresa.

Com o tempo, Dahlia percebeu que a garça geralmente aparece quando ela está passando por um dilema mental — essa aparição significa que Dahlia precisa ter mais leveza para receber novas ideias. Quando Erin aparece, transmite instruções específicas, e não apenas uma mensagem instruindo-a a mudar de humor ou perspectiva. Apesar das mudanças na forma como seu guia aparece, o que Dahlia vê sempre está de acordo com a necessidade do momento.

Lembre-se, o espírito tem uma forma de se revelar a você. Cabe a você aprender a vê-lo.

Quando estiver pronto para ver seus guias, sente-se numa cadeira confortável ou deite-se na cama, feche os olhos físicos e imagine uma tela de cinema que se acende em sua mente. Peça a seu espírito para se projetar nessa tela e depois relaxe e se prepare para desfrutar o espetáculo. Se sua mente tiver dificuldade para diminuir a atividade ou seu corpo estiver inquieto, imagine os espíritos sentados a seu lado como se você estivesse num cinema e convide-os para ver o filme com você.

Em seguida, peça a seu espírito para projetar na tela o lugar mais bonito do mundo — um lugar onde você possa se conectar com seus guias sempre que desejar. Então, inspirando sem esforço pelo nariz e expirando pela boca, deixe surgir na tela o que vier. Tente ser paciente e aceitar sem resistência o que aparecer.

Você sabia que…

... os guias gostam de ser eficientes? Eles aparecem e se conectam por meio de uma mensagem curta e específica.

... os guias mais elevados tendem a ser claros, simples e brilhantes e deixam em nós uma sensação de luz?

... é melhor ser pontual e fazer contato com os guias, no mesmo horário, todo dia, porque eles consideram sua atenção um compromisso com eles e farão um esforço para aparecer na hora?

... definir um momento específico do dia para remover o véu e enxergar mais que o mundo físico treina sua mente subconsciente para ser menos rígida quando filtra o mundo espiritual?

Talvez o que você vir com o olhar mental seja familiar — pode ser um lugar favorito da infância ou para onde você viajou no passado e do qual gostou, mas também talvez seja um lugar que você nunca viu antes. Mesmo que não faça sentido, seus guias decidem como vão aparecer e selecionam as imagens que funcionam melhor para sua conexão.

Por exemplo, a cozinha da casa onde Thomas morou na infância aparecia na sua tela interior... com um riozinho ruidoso passando bem no meio. Quando Thomas pediu ao seu guia para aparecer, ela saiu de dentro do regato, sentou-se à mesa da cozinha e depois mergulhou de volta. Inicialmente perplexo, Thomas depois lembrou que suas recordações favoritas da infância eram as ocasiões em que assava biscoitos na cozinha com a mãe e as ocasiões em que pescava num riozinho com o pai. Fazer essas cenas convergirem na imaginação como o lugar perfeito para encontrar os guias era algo que ele jamais teria imaginado.

Se nada aparecer em sua tela, não se preocupe — sua visão interna pode apenas demorar um pouco mais do que você gostaria para ser ativada. Nesse caso, é válido ajudá-la um pouco. Se nada aparecer, convide seu espírito para decorar como quiser o local do encontro com os guias e faça o possível para escolher o lugar perfeito. Tendo feito isso, lembre-se de fechar os olhos e pedir que apenas os guias mais elevados e mais dedicados apareçam para se sentar à sua frente.

Tenha paciência, porque talvez você precise fazer isso várias vezes antes de ter sucesso — contudo, se você persistir, seus guias aparecerão. Aceite o que vier e lembre-se de que os guias nem sempre tomam a forma humana. Eles podem vir como símbolos, e não se surpreenda se eles também aparecerem em formas diferentes, em ocasiões diferentes.

Monique, uma de minhas clientes, queixava-se de sua visão interna inativa, mas a visão se acendeu imediatamente quando foi convidada a decorar a seu gosto o santuário íntimo. Ela decidiu encontrar os guias num quarto acolhedor, com as paredes forradas de lambris de madeira e com uma lareira acesa, duas grandes poltronas cobertas de veludo xadrez e estantes do teto ao chão, cheias de livros que continham as respostas para todas as perguntas do universo. A seus pés havia um antigo tapete oriental vermelho e dourado, duas banquetas de couro macias e um grande cão labrador castanho, adormecido. Ao lado das poltronas, luminárias de pé com cúpulas de vidro colorido; uma porta de carvalho com 3 metros de altura ia até o teto, fechada para deixar de fora o mundo exterior e garantir a privacidade.

Quando Monique pediu para ver seu guia, em vez de aparecer uma pessoa, um livro caiu de uma prateleira e se abriu sobre uma banqueta. Aceitando a situação, Monique pediu ao guia informações sobre a saúde mental do marido, já que ela suspeitava que ele estivesse sofrendo de demência. Como resposta, outro volume caiu da estante e, ao se abrir, a visão mental divisou a palavra *quelação* (definida como um processo para remover do corpo metais e toxinas).

Em função dessa mensagem, Monique levou o marido para fazer um exame de toxicidade e descobriu que ele tinha no corpo alta concentração de mercúrio — uma condição que pode simular a demência precoce. Mais tarde, ela alegremente relatou que, depois de passar pela terapia de quelação, o marido começou gradualmente a melhorar de saúde.

Agora é sua vez

Vamos recapitular o que você deve fazer diariamente para começar a treinar sua visão interna na prática de ver os guias espirituais. Lembre-se de que você só precisa de dez ou 15 minutos por dia para esses exercícios — afinal, você não quer cansar sua visão interna!

- Comece a prestar bastante atenção ao que está ao seu redor no momento.
- Volte ao passatempo infantil de sonhar acordado para ativar o olhar interior, imaginando como serão seu guia espiritual e os guias espirituais de outras pessoas.
- Mantenha os olhos relaxados e quase fechados e deixe que sua visão interior "olhe".
- Aceite o que vier à mente, mesmo que de início aquilo não faça sentido. Tenha paciência. Com o tempo você entenderá o significado.

Agora que abriu o canal que lhe permite ter um contato direto com os guias espirituais, vamos seguir adiante e conhecê-los individualmente.

PARTE IV

Seus guias espirituais

CAPÍTULO 12

Os guias espirituais do reino da natureza

Agora que você abriu sua percepção para receber orientação espiritual e praticou algumas técnicas básicas de comunicação com os guias, está na hora de conhecer alguns dos diferentes seres espirituais com quem poderá se comunicar. À medida que se torna mais sintonizado com o espírito em todas as coisas, os primeiros guias que poderá perceber são as forças da natureza.

Como categoria, esses espíritos da natureza são chamados de elementais. Compreendendo os espíritos da terra, da água, do fogo e do ar, os elementais muitas vezes são conhecidos como *gnomos*, *duendes*, *silfos*, *devas* e *salamandras* (que não guardam nenhuma relação com os pequenos répteis de mesmo nome). Embora isso possa parecer um conto de fadas, tudo o que é vivo conta com os cuidados de uma força espiritual e uma vibração.

Os espíritos da natureza são maravilhosamente saudáveis. Ao elevar sua sensibilidade para sua presença e pedir a ajuda deles, você imediatamente começará a sentir seu apoio. Quando aprender a identificá-los e se tornar receptivo a suas dádivas, o mundo natural se tornará um lugar de cura e encanto para você.

Os espíritos da terra

Para se conectar com esse reino espiritual é melhor começar por concentrar-se nos espíritos da terra — também conhecidos como *devas* —, começando pelas árvores, flores e, naturalmente, pela própria Mãe Terra. A terra é um espírito inacreditável, que vive e respira, amparando majestosamente toda a vida do planeta. Afetuosamente conhecida como Gaia, ela é a mãe orgânica de todos nós. Abrir a sensibilidade para sua energia nos ajuda a logo nos sentirmos mais fortes e mais amparados fisicamente.

A conexão com a terra é conhecida como "aterramento" — um termo que é usado de maneira descuidada, porém poucas vezes compreendido como o ato de deixar o próprio espírito ser cultivado pela Mãe Terra. Quando estamos desconectados dela, nos sentimos dispersivos, fracos, facilmente pressionados pela vida e isolados de todo amparo. Ao elevar nossa sensibilidade e nossa consciência para a Mãe Terra, nossa vida se acalma, e um sentido básico de segurança se estabelece.

Nenhum de nós é tão esperto que possa prescindir da força de Gaia a nos sustentar. Nem mesmo o concreto pode bloquear totalmente a energia dela. Se alguma vez você duvidar do poder da Mãe Terra, basta evocar a magnitude de um grande terremoto para recuperar o sentido de realidade. Ao mesmo tempo, ela pode ser espantosamente benevolente — nada é mais restaurador para o corpo e os ossos que uma massagem da Mãe Terra.

Há mais ou menos 12 anos, meu marido e eu levamos nossas filhas ao Havaí pela primeira vez. Quando Sonia chegou à praia, quase não foi capaz de se conter. Aquilo era tão delicioso e tranquilizante para aquela menina de 5 anos que ela se atirou na praia, agarrou punhados de areia, que apertou entre os dedos, cheirou e até mesmo tentou comer. Ela passou horas rolando na areia molhada sem se cansar. Naquela noite, quando a coloquei na cama, o coração dela estava tão cheio de alegria que ela me deu um abraço de corpo inteiro e disse: "Mamãe, antes eu te amava como um ponto. Agora eu te amo como um círculo."

Se você se sentir exaurido, desligado, desamparado e sem amor, toque o espírito da Mãe Terra e deixe que ele o acalente. Faça seu espírito pedir a ela para envolvê-lo em seus braços infinitos e apertá-lo contra o peito. O espírito de Gaia é tão poderoso que a conexão com ela remove a depressão e o medo, e até mesmo reduz uma das nossas maiores doenças sociais — a síndrome da fadiga crônica.

Patrick chega a incorporar a energia curativa da Mãe Terra em seu trabalho como massoterapeuta. Uma de suas práticas é simplesmente, ao final de cada massagem, segurar os pés do cliente e deixar que a força curativa de Gaia entre no corpo dele, enchendo o cliente de vitalidade e poder. Ele faz isso durante vários minutos, sem dizer nada — apenas deixando que o espírito da terra faça seu trabalho. Muitos clientes relatam que nesse momento da sessão eles caem num estado de profundo relaxamento e sentem-se como se tivessem sido ligados a um gerador que restaura cada célula de seus corpos.

A terapia geotermal (com pedras quentes), outra forma de tratamento que se tornou popular nos últimos tempos, canaliza o espírito da terra da mesma forma. O espírito presente nas pedras, que são estrategicamente colocadas sobre o corpo, consegue tocar a medula e tem o poder de acalmar, fortificar e restaurar a força do indivíduo como nada mais consegue.

Da mesma forma, o espírito das flores trabalha para acalmar e equilibrar o corpo emocional (a primeira camada de energia que reveste o corpo físico), o qual sofre muito desgaste durante um dia, uma semana ou uma existência. O corpo emocional pode ficar fraco, fino e desgastado, deixando o indivíduo sujeito a todo tipo de problemas emocionais e psíquicos.

Não é preciso muito esforço para colher os benefícios do espírito das flores... basta cheirar uma rosa, apreciar uma orquídea ou aspirar o perfume de um sachê de lavanda para entender o que digo. Quando nos sentimos sem energia, fracos ou carentes de inspiração, fazer a percepção sutil se conectar com as fadas das flores e das plantas restaura o equilíbrio e poderá acalmar e reestruturar o corpo emocional, recuperando sua harmonia.

Alguns indivíduos ficaram tão conectados com as energias espirituais das flores e com sua imensa capacidade de cura do corpo emocional que deram origem a métodos alternativos de cura calcados nas qualidades terapêuticas das essências florais. Para ganhar uma energia adicional, você pode até mesmo pensar em usar essas essências que incorporam os espíritos restauradores das plantas e das flores e podem ser encontradas em lojas de produtos naturais ou pela internet. Cada extrato de planta produz um resultado diferente, fazendo uso da energia específica em que você se focaliza. Por exemplo, o azevinho nos deixa menos críticos, a lavanda acalma o coração e a violeta aumenta a autoconfiança.

Talvez o exemplo mais notável do poder de se trabalhar com as fadas das plantas e das flores possa ser encontrado numa comunidade chamada Findhorn, no norte da Escócia. Ao prestar o máximo de atenção aos espíritos da natureza, celebrando e reverenciando seu mundo, essa comunidade experimental conseguiu cultivar legumes, plantas e flores notáveis em um solo desprovido de nutrientes. Embora ninguém saiba *quem* naquela comunidade se conecta com as fadas e lhes presta homenagem, os habitantes são regularmente recompensados com jardins luxuriantes.

Você também pode se conectar realmente com as fadas se plantar um jardim — e até mesmo se apenas cultivar algumas plantas em vasos. Da próxima vez que se surpreender regando distraidamente as azaleias, pare e sinta a energia da planta, e aprecie seu espírito forte, porém gentil. Converse com suas plantas e flores e até mesmo toque música clássica para elas. Afinal, experimentos já mostraram que o espírito das plantas reage bem e que, em resposta, elas ficam alucinadas e crescem como loucas.

Se você *realmente* quiser sentir algum apoio psíquico, dê um passo além e abrace uma árvore. Estou falando muito sério. Nós (especialmente os habitantes do mundo ocidental) ficamos preguiçosos e embotados no que diz respeito à percepção sutil, mas só um número muito pequeno de indivíduos consegue continuar imune ao formidável poder de aterramento e cura encontrado numa árvore. Aceite parecer maluco, se necessário, mas assuma o risco e coloque os braços em torno do próximo olmo ou carvalho que encontrar no caminho. Se isso parecer demais e você não conseguir se permitir essa experiência, pelo menos jogue-se aos pés de uma árvore e se ligue com sua majestade por meio das raízes.

Os espíritos das árvores são tão poderosos que atuam como amplificadores de nossa sensibilidade psíquica. Conectar-se com a energia desses seres colocará sua percepção bem dentro do mundo espiritual, aumentando rapidamente sua capacidade para se conectar com as entidades de frequências mais altas como os guias espirituais e os anjos. Embora isso talvez não aconteça da noite para o dia, se você trabalhar com as árvores durante algumas semanas, sem dúvida começará a entrar em sintonia com outras forças espirituais.

Se você morar numa cidade, talvez precise fazer um esforço maior para sintonizar-se com os espíritos da terra, mas, francamente, os benefícios e as recompensas valem o esforço. A vida nas cidades é muito estressante e exaustiva, portanto, é ainda mais urgente a necessidade de entrar em contato com os espíritos da natureza. No fim das contas, você ficará mais calmo, mais estabilizado e com as emoções mais pacificadas.

Os espíritos da água

Além de entrar em contato com Gaia e com os devas da terra, você também pode começar a se conectar com os espíritos da água. A própria Bíblia traz diversas referências ao poder dessas entidades, e um dos livros mais extraordinários que li recentemente é *Mensagens ocultas na água*, de Masaru Emoto. Nesse livro, o autor não só analisa como também fotografa os espíritos da água e as respostas deles às energias. Emoto mostra que ao ser exposta a uma energia zangada e feia a água forma cristais escuros e deformados. Por outro lado, quando exposta a pensamentos de amor e bondade, ela forma maravilhosos padrões cristalinos, o que indica que a água tem uma consciência viva e reage aos nossos pensamentos e nossas atitudes.

Os espíritos da água são poderosos e purificadores, e trabalham para lavar tudo o que está velho e desgastado. Quando necessário, eles podem ser ferozes — como testemunhou um mundo aterrorizado por ocasião do tsunami do Natal de 2004, quando a força da água literalmente arrastou multidões da face da Terra em questão de minutos. Ao mesmo tempo, essa mesma força uniu indiretamente o mundo numa cooperação amorosa para ajudar os sobreviventes.

Está começando a aumentar a percepção da humanidade para o poder dos espíritos da água graças à frequência crescente de desastres naturais relacionados com esse elemento, como os recentes furacões, inundações e o tsunami mencionado. A escassez mundial de água e as secas (e até mesmo o fascínio de nossa época por águas de grife) também estão levando a atenção do mundo para a influência dos espíritos da água em nossa vida diária.

É interessante observar que os indivíduos se conectam aos espíritos da água com mais frequência por meio de sonhos, afirmando que alguns de seus sonhos mais perturbadores ou restauradores envolvem conhecimentos sobre a água. Por exemplo, toda vez que minha irmã sonha com água, trata-se de um aviso de que alguma decisão que ela tomou (ou está pensando em tomar) não é segura e deve ser abandonada ou revertida. Também tenho uma cliente que sonhou com afogamento em uma tromba-d'água e três dias depois foi subitamente demitida do emprego. Nos dois casos, a mensagem passada pelo tema era de que ambas as envolvidas precisavam abrir mão de alguma coisa.

A conexão com espíritos da água renova nossa perspectiva e evita que fiquemos paralisados numa posição neutra, o que pode ser comprovado por qualquer um que caminhe pela praia.

Existem muitas maneiras de colher benefícios do poder de limpeza e relaxamento da água. Por exemplo, podemos instalar em casa uma pequena fonte e pedir a ela que renove todas as energias do local. O fato de as fontes já terem deixado de ser um artigo caro, acessível apenas a indivíduos privilegiados, indica um crescimento na sensibilidade da população para o poder de cura dos espíritos da água.

Outra maneira interessante de se conectar com esses espíritos é levar consigo uma garrafinha com água fresca e borrifar o líquido sobre o corpo ao longo do dia, principalmente quando se passou por um momento difícil ou de dúvida sobre a própria capacidade. Os espíritos da água trabalharão a seu favor para impedir que a negatividade ou a dúvida se instalem, e ajudarão a restaurar o equilíbrio da energia.

Os espíritos do ar

Os espíritos do ar, que podem ser sentidos nas brisas suaves e também nos tornados, pertencem ao plano neutro. Isso significa que ao se conectar com eles você energiza, acalma e clareia a mente e a alma. A primeira conexão, provavelmente a mais importante, acontece quando simplesmente respiramos fundo. Quando isso acontece, os espíritos do ar entram e interagem com nosso espírito, situando-nos no presente, estimulando a mente, aumentando a capacidade de focalização e nos sensibilizando para energias sutis.

Por outro lado, quando prendemos a respiração, nós nos desconectamos dos espíritos do ar, sufocamos o próprio espírito e nos isolamos do fluxo da vida. Uma das melhores práticas psíquicas para conquistar o apoio dos espíritos do ar é começar o dia com uma série de cinco a dez respirações profundas antes de sair da cama. Enquanto respira, peça aos espíritos do ar para clarearem sua mente, revitalizarem seu sangue, revigorarem seus órgãos e ajudarem-no a receber a vida naquele dia com entusiasmo e clareza.

Estabelecer uma ligação com os espíritos do ar — os silfos — também é uma prática muito inteligente sempre que temos medo ou ansiedade. Pare, respire e relaxe; respire e relaxe; respire e relaxe

Você sabia que...

... os espíritos da terra também são conhecidos como *gnomos*, *fadas*, *devas das árvores* ou *elfos* e que eles nos aterram e promovem a cura emocional?

... os espíritos da água são chamados *náiades*, *ninfas do mar*, *ondinas* ou *duendes* e são responsáveis por limpar, refrescar e clarear nossos espíritos?

... os espíritos do ar às vezes são chamados de *devas do ar*, *construtores*, *zéfiros* ou *silfos*, e podem ser invocados para nos acalmar e ajudar a aumentar a concentração e a clareza mental?

... os espíritos do fogo são conhecidos pelos metafísicos como *salamandras* e inspiram paixão, vida nova, bênçãos, criatividade e cura espiritual?

— com a prática, esse exercício rápido o acalmará e limpará imediatamente seus pensamentos.

É importante se conectar com os espíritos do ar quando diante de decisões importantes, entrevistas, negociações ou apresentações públicas. Esses espíritos ajudam a evitar que sua mente fique confusa, mantêm os pensamentos fluindo e nos sintonizam com as frequências refinadas de nossos outros guias espirituais. Como esses seres também guardam os portões da telepatia, eles abrem uma linha de acesso para todas as outras entidades da comunidade dos espíritos.

Os espíritos do fogo

Os outros espíritos da natureza são as salamandras — as energias dançantes que ao mesmo tempo cintilam, crepitam e hipnotizam. Os espíritos do fogo suscitam a paixão e a criatividade. A conexão com eles ajuda a elevar o senso de competência e a juventude eterna. Os espíritos do fogo precisam ser invocados quando perdemos o brilho ou quando nos encontramos em um atoleiro mental de acusações, desculpas ou autopiedade. Nada como uma boa salamandra para nos livrar do medo habitual.

Você já observou como ficar olhando para o fogo nos faz esquecer o tempo e pensar em romance, não só para os amantes, mas para a própria vida? Quando você se conecta com os espíritos do fogo, o que isso desperta em seu espírito? Que sonhos esquecidos, desejos e paixões ganham vida? Essa é a dança da cura entre os espíritos do fogo e o seu.

Por outro lado, esses espíritos ígneos também surpreendem, assustam e, quando necessário, zeram o contador. Já vi muitos espíritos do fogo queimarem a casa ou o negócio de alguém, deixando os envolvidos instantaneamente reduzidos a nada.

Quando chamar os espíritos do fogo, preste atenção à dança deles, a seu crepitar e seu frenesi. A salamandra pede que pisemos de leve, que sejamos flexíveis e criativos, que nos adaptemos e respondamos. Quando chamá-los, é melhor manter uma atitude de aprendiz e *nunca* tratá-los como se os conhecesse.

Para se conectar com eles, acenda um fogo, mas saiba que você precisa permanecer ao lado do fogo até que ele se extinga, seja apagado ou se transforme em cinzas, porque os espíritos do fogo gostam de ser observados. Se você não prestar atenção a eles e se afastar, eles poderão chamar sua atenção causando um incêndio!

Além das salamandras, o fogo também invoca o maior de todos os guias espirituais — o Espírito Santo —, já que simboliza a centelha divina que dá vida a todos nós e é representada pela chama eterna. (É por isso que praticamente toda religião utiliza algum aspecto do fogo em seu simbolismo ou em seus rituais.)

Chamar o Espírito Santo para revitalizar e curar seu espírito é um dos pedidos mais poderosos que você pode fazer. Na verdade, quando criança eu frequentava a escola católica, ia à missa regularmente e amava o ritual de acender as velas para chamar o Espírito Santo e a Sagrada Família para queimarem dentro de meu coração e cuidarem de mim. (Você pode fazer o mesmo, acendendo velas de sete dias que podem ser encontradas na maioria dos supermercados e em muitas igrejas.) Esse ritual semanal do fogo me mantinha conectada com Deus e com o Espírito Santo e ajudava o fogo a queimar em meu interior com mais brilho.

Agora é sua vez

A melhor parte de se conectar com os espíritos da natureza é começar a sentir o apoio maravilhoso que recebemos e ver como nosso espírito é parte dos inúmeros níveis de espíritos à nossa volta. Eles estão ansiosos por servir, por agradar, por inspirar e por amparar, e farão tudo isso se você os tratar com respeito e reverência. Apenas saiba que eles estão aqui e lhe trarão muitos presentes maravilhosos. Não se esqueça de apreciá-los.

Estabeleça alguma forma de conexão com os espíritos da terra, da água, do ar e do fogo pelo menos uma vez por dia para manter-se saudável e equilibrar sua força vital. Experimente os seguintes exercícios simples, para começar:

- Talvez a melhor maneira de se conectar com os espíritos da terra seja parar o que está fazendo neste exato momento e olhar (ou, melhor ainda, ir) para fora. Se tiver a sorte de estar num ambiente natural, sente-se calmamente e concentre a atenção nos ruídos da vida que brotam do chão. É ainda mais eficaz deitar-se na terra (se preferir, em cima de um cobertor) e aspirar o espírito da terra por todos os poros. Se viver na cidade, vá para a área verde mais próxima para fazer essa conexão.
- Aumente a percepção dos espíritos da água quando tomar banho, pedindo a eles para ajudá-lo a renovar-se e liberar as energias obsoletas. Aprecie as propriedades curativas desses espíritos e peça a eles para limpar seu corpo, sua mente e sua aura de toda negatividade e de todos os resíduos psíquicos.
- Uma maneira poderosa de chamar os espíritos do ar é inspirar lentamente pelo nariz e então, com um tapinha no peito, expirar com toda a força, exclamando "Rá!". Isso ativa o espírito, abre os canais telepáticos e afasta o monólogo negativo que ocupa o cérebro. É um excelente estimulante para realinhá-lo instantaneamente com seu espírito e trazer toda a sua atenção para o presente.
- Uma maneira segura de pedir aos espíritos do fogo que tragam para sua vida tempero, paixão e emoção criativa é acender velas, queimar incenso ou acender a lareira. Peça aos espíritos do fogo

para despertarem sua coragem e seu potencial e para evitarem que você adormeça na roda da vida e se esqueça de quem é. E lembre-se: se acender velas, tome conta delas; se usar a lareira, confira a chaminé e o anteparo; se acender velas de sete dias, coloque-as numa pia ou banheira quando sair de casa. Essas precauções inteligentes simplesmente refletem um respeito saudável pelo espírito e pelo poder do fogo.

CAPÍTULO 13

Seus batedores

Recentemente, eu estava falando a meu amigo Greg sobre um grupo de guias espirituais conhecidos como "batedores" enquanto meu marido e eu íamos de carro com Greg e sua mulher para uma recepção no centro de Chicago. Era uma sexta-feira fria e chuvosa, na hora do rush, e eu contava ao meu amigo como a vida fica muito mais fácil quando pedimos ajuda aos batedores. Greg resmungou sua descrença e me desafiou: "Nesse caso, peça-lhes uma vaga pública! E que seja perto da recepção para não precisarmos caminhar ou pagar um estacionamento particular."

Mal as palavras saíram de sua boca, um carro deixou sua vaga exatamente em frente ao local da recepção.

— Vê o que eu quero dizer? — comentei. — Melhor ainda, é uma dessas vagas que são grátis depois das 18 horas!

Quando a recepção terminou, Greg me testou mais uma vez:

— Vagas na rua são fáceis — disse ele. — Vejamos o que seus batedores podem fazer para conseguirmos uma mesa para quatro pessoas num bom restaurante, numa sexta-feira à noite, sem ter de esperar. Isso *vai mesmo* me fazer acreditar neles.

— Aonde você quer ir? — perguntei.

Ele escolheu um bistrô extremamente popular chamado La Sardine, que fica em frente ao Harpo Studios, a produtora de TV de Oprah Winfrey.

— Esse lugar costuma ficar lotado, mas como estamos perto, vamos tentar — concordei.

Chegamos ao restaurante e, como previ, a casa estava lotada.

— Mesa para quatro pessoas — pedi.

A recepcionista perguntou se tínhamos reserva, e no momento em que eu dizia *não*, o telefone dela tocou. Depois de receber a chamada, ela olhou para mim, sorriu e disse:

— Você está com sorte. Um grupo de quatro pessoas acabou de cancelar.

Isso foi só o começo, pois os batedores fizeram hora extra naquele dia. Para completar uma noite maravilhosa, nosso garçom apareceu com diversas sobremesas fantásticas. Não tendo pedido, mandamos devolvê-las, só para recebê-las de volta com a informação: "É por conta da casa." Em uma noite, meus batedores transformaram Greg num convertido e encheram de mágica todo o nosso programa.

Quem são seus batedores?

São guias úteis em todas as situações, os primeiros a quem você pode pedir ajuda. Meu professor Charlie me ensinou a chamá-los "batedores" porque é exatamente o que eles fazem: vão à sua frente, ajudando-o a encontrar coisas que perdeu ou colocou fora do lugar, ou conduzindo-o ao que você procura, como um apartamento, mercadorias em liquidação ou até mesmo vagas de estacionamento.

Batedores são espíritos muito ligados à Terra e ao mundo natural, em geral almas nativas da região em que você reside. Por exemplo, quem vive nos Estados Unidos geralmente tem por batedores índios norte-americanos, pois eles estão conectados ao território em que essas pessoas vivem (e não às raízes ancestrais dos moradores). Da mesma forma, você pode ser um afro-americano que vive na Inglaterra ou na Escócia e ter um batedor celta, ou ser um sino-australiano que vive na Nova Zelândia e ter um batedor maori. As lealdades de um batedor são com a terra, não com você.

O que esses guias fazem de melhor é trazer mágica à sua vida. Quanto mais mágica você sentir, mais seu coração se abrirá; quanto mais aberto estiver seu coração, melhor será a sua vibração e mais feliz ficará o seu espírito. Quando sua alma está feliz, todos à sua volta também sentem isso. Essa é a razão pela qual o trabalho dos batedores é tão importante — ele nos convence de que a vida e o mundo são bons.

Venho invocando meus batedores há mais de trinta anos, e eles nunca me deixaram na mão. Às vezes, eles até me ajudam a encontrar coisas que eu não sabia que havia perdido! Por exemplo, certa manhã da semana passada, depois de uma noite trabalhando até tarde no escritório para colocar a papelada em dia, senti uma necessidade imperiosa de examinar a lixeira antes que minha secretária chegasse e a esvaziasse. Peguei um punhado de papéis que havia jogado fora na noite anterior e encontrei um envelope contendo duas semanas de cheques que eu havia esquecido de depositar na véspera. Se não fosse por meus batedores, eu teria tido um grande prejuízo.

Em outra ocasião, há muitos anos, quando eu era comissária de bordo, meus batedores me salvaram do que poderia ter sido uma situação de risco para meu emprego. Naquela época, eu precisava viajar duas vezes por semana de Chicago, onde morava, para St. Louis, onde estava baseada. As despesas eram por minha conta. Isso saía caro, mesmo com o desconto de funcionária, e arriscado, porque os voos entre as duas cidades estavam sempre lotados. Se perdesse um avião, eu poderia perder o emprego. Portanto, naqueles anos eu dependia muito de meus batedores para conseguir um lugar no avião de modo a chegar a St. Louis sem problema.

Nesse dia específico, meus batedores me desviaram do avião dez minutos antes da partida, embora eu já tivesse reservado lugar e o novo voo custasse 50 dólares a mais. Eu não sabia o que eles queriam, mas devolvi o cartão de embarque e fiz a reserva em outro avião. Peguei o novo avião e quarenta minutos mais tarde cheguei a St. Louis.

Como não via nenhum dos amigos que estavam no voo que abandonei, olhei a lista de chegadas e vi que ele havia sido cancelado. Perguntei ao agente o que aconteceu e ele informou que descobriram um problema mecânico na hora da partida. Nenhum dos meus colegas daquele voo chegou ao trabalho naquele dia, mas eu, naturalmente cheguei, graças à ajuda dos meus batedores.

Os batedores raramente se comunicam com palavras; em vez disso, eles apenas dão um empurrãozinho sem que você necessariamente saiba por quê. Quando tive o impulso de verificar o conteúdo da lixeira ou de trocar de avião, simplesmente agi sem pensar. Os batedores não entraram em meu cérebro para dar uma explicação — apenas me seguraram e me puxaram na direção em que eu devia ir.

Seus batedores estão sempre atentos para as suas necessidades, presentes para ajudá-lo assim que você pedir. Minha amiga Ella perdeu um colar que a avó lhe dera pouco antes de morrer. Como não acreditava na própria vibração ou em seus guias, Ella me chamou e perguntou se eu podia ajudá-la. Normalmente, eu teria tentado, mas minha intuição insistia que eu devolvesse a tarefa para ela.

— Dessa vez, não, Ella — recusei. — Minha intuição me diz que você deve chamar seus batedores para procurarem seu colar.

— Você sabe que eu não acredito em nada disso — choramingou minha amiga. — Por favor, você não pode me ajudar a encontrá-lo?

— Não, não posso. Mas se você pedir com educação, seus batedores ajudarão.

Aconselhei Ella a pedir com educação porque os batedores são um povo melindroso. São excelentes olheiros e detetives, já que conhecem tão bem a região, mas tendem a ser um pouco orgulhosos, portanto, você deve pedir a ajuda deles com respeito, e não dar ordens.

Ella gemeu e protestou, mas acabou por tentar. Sentada no sofá, exausta, depois de examinar todos os lugares em que pôde pensar, pediu:

— Por favor, me ajudem a localizar o colar de minha avó.

Dez minutos depois ela se levantou e, sem pensar, abriu a gaveta das meias e começou a revirá-la, sem atinar com o motivo. De repente sentiu um volume dentro de uma meia, meteu a mão e encontrou o colar. *Como isso foi parar aqui?*, perguntou. Então, ela se lembrou de vários meses atrás ter pedido ao marido para esconder o colar imediatamente antes de viajarem para um fim de semana, já que ela acabara de ganhá-lo e não gostava da ideia de deixar a peça no porta-joias. Ele escondeu o colar na gaveta das meias, e os dois esqueceram o assunto... mas os batedores, não — eles viram o marido esconder o colar e levaram Ella diretamente até ele quando a ajuda deles foi pedida com gentileza.

Você pode pedir aos seus batedores para ajudar a encontrar qualquer coisa, inclusive uma vaga de estacionamento. Há muitos anos Charlie me ensinou um truque: ele me disse para mandar meus batedores à minha frente para reservarem uma vaga muito boa toda vez que eu saísse de carro — e não qualquer vaga, mas a *melhor* —, bastando pedir com educação.

Há muitos anos falei à minha amiga Debra sobre os batedores e as vagas de estacionamento, e ela adotou a ideia completamente. Ela liga o carro, visualiza o lugar para onde vai e que tipo de vaga deseja, e então pede aos batedores para reservaram um lugar para ela.

Um dia, ela me convidou para almoçar, e quando nos aproximamos do restaurante o tempo fechou e subitamente começou uma chuva torrencial.

— Não tem problema — disse Debra. — Vou mandar meus batedores reservarem uma excelente vaga para não nos molharmos.

Dito e feito; quando chegamos ao estacionamento, um carro que estava parado a 6 metros da porta saiu, deixando um excelente lugar para nós.

— Isso foram os meus batedores, ao seu dispor — ironizou ela.

Nem bem Debra dissera isso quando um carro parado a 3 metros da entrada saiu. Eu me voltei para ela e disse:

— E isso foram os *meus* batedores, ao seu dispor!

Ambas morremos de rir, deliciadas, enquanto desfrutávamos de nosso almoço "a seco".

Você sabia que...

... batedores nos livram da perda de tempo, da frustração e de confusões e ajudam a aliviar a tristeza resultante das perdas? Agradeça generosamente pelos bons serviços deles, e eles trabalharão em dobro da próxima vez.

Há batedores de todas as formas, tamanhos e cores, mas eles têm três coisas em comum: (1) São rápidos e não perdem tempo quando são chamados; (2) Estão fortemente ligados à terra e à natureza, e vêm de vidas passadas quando eram escoteiros naturais; e (3) eles não falam — apenas agem se pedirmos com delicadeza.

Os batedores não se limitam a encontrar objetos perdidos, reservar lugares em aviões e produzir vagas de estacionamento; eles também nos ajudam a encontrar artigos de que precisamos, mas não conseguimos obter. Isso aconteceu com minha cliente Myrna, que calça 41 e nunca conseguia encontrar calçados bonitos do seu tamanho. Acostumada a ver os vendedores fazerem ar de espanto e comentários grosseiros sobre o tamanho de seus pés, ela quase jogou a toalha, até descobrir os batedores (por quem agora tem a mais profunda afeição) em uma de minhas aulas.

Da primeira vez que pediu ajuda, Myrna foi levada a uma nova loja em um shopping onde encontrou um par de lindas botas pretas de couro que ela adorou. Esperançosa, apesar de estar habituada a se decepcionar, ela perguntou ao vendedor se ele tinha aquelas botas no tamanho 41.

— Em geral não temos, mas acabei de receber dois pares desse tamanho — respondeu o vendedor.

Enquanto experimentava as botas, que serviram perfeitamente, Myrna trocou ideias com o vendedor e descobriu que ele entendia o problema dela porque a mulher dele também calçava 41. Com isso, ele revelou que havia levantado todas as lojas de calçados e de designers da região que costumavam ter aquele tamanho. Ele sabia até mesmo quando os calçados chegavam e entregou a Myrna, juntamente com as botas, uma lista de lojas que pôs fim a vinte anos de sofrimento e falta de autoestima da minha cliente por conta do tamanho dos pés.

Os batedores sabem como é difícil conseguir tudo o que queremos durante a vida, e são auxiliares maravilhosos para nos pouparem tempo e energia. Eles também podem ser generosos e indulgentes em seu trabalho.

Por exemplo, um cliente chamado Steven estava atrasado para pegar o avião de Denver para Nova York. Preso numa longa fila para passar pela segurança, tinha certeza de que ia perder o avião. Mandando os batedores à sua frente, ele correu para o portão e foi informado de que o embarque estava encerrado e era muito tarde para ir a bordo. Nesse exato momento, outro agente apareceu no portão. Vendo Steven, ele disse: "As malas ainda não foram totalmente carregadas, portanto, podemos embarcá-lo."

Juntos, eles correram pela passagem e bateram na porta do avião. Steven foi recebido a bordo — onde foi dirigido para um assento na primeira classe! Ou seja, além de conseguir embarcá-lo, os batedores também fizera o upgrade da passagem.

Agora É sua Vez

Trabalhar com os batedores é muito fácil: só precisamos pedir a ajuda deles e lembrar que eles correspondem melhor se falarmos com delicadeza e sem agitação. (E seja muito respeitoso quando pedir, sempre diga "Por favor" em vez de dar uma ordem.) Tendo pedido o que precisa, você deve relaxar e parar de pensar no assunto durante pelo menos vinte minutos. Assim que você parar de pensar na questão, os batedores virão levá-lo na direção correta.

Um dos meus instrutores uma vez informou que "Se você parar e pensar, o momento se perde". Isso não poderia ser mais verdadeiro, já que para trabalhar com os batedores é preciso ser flexível e seguir os instintos sem medo ou hesitação.

Finalmente, é muito importante ter em mente que os batedores gostam de ter seu trabalho reconhecido. Sim, eles ficam muito felizes em servir e adoram quando pedimos — mas também adoram quando agradecemos.

CAPÍTULO 14

Seus auxiliares

Uma amiga minha chamada Natalie há muitos anos ficou bastante interessada na história da família e passou a dedicar quase todo o seu tempo para descobrir tudo o que fosse possível sobre seus parentes do passado e do presente. Ela começou a organizar a genealogia de seu clã, mas chegou a um beco sem saída quando um tio com quem não se dava bem se recusou a dar informações. Isso deixou Natalie frustrada, mas ela não desistiu.

Um dia ela estava relaxando na sala de sua casa quando subitamente sentiu a presença de seu falecido pai descer e passar diante de seus olhos. O sentimento era tão forte que obrigou Natalie a se levantar da cadeira, caminhar imediatamente para o computador e pesquisar o nome do pai no Google, algo que nunca fizera antes (ou em que nunca havia pensado). Ela começou a percorrer as 106 páginas que surgiram, mas nenhum dos dados se referia à sua família.

Sem querer perder tempo procurando em meio àquela montanha de informações e sem sequer saber o que procurava, minha amiga decidiu arbitrariamente examinar a página 16; se não encontrasse ali nada relevante para sua família, desistiria. Sem esperar encontrar o que quer que fosse, ela clicou no link e ficou assombrada ao encontrar no alto da página uma entrada sobre seu pai. A entrada era seguida por uma genealogia quase completa de toda a família, recuando várias gerações. O que ela estivera tentando compilar por conta própria estava lá, completo, diante de seus olhos! A presença experimentada por Natalie com certeza fora o espírito de seu pai agindo como guia auxiliar para ajudá-la a responder às perguntas sobre a família.

O objetivo dos guias auxiliares é exatamente esse: facilitar a vida para nós para que possamos desfrutá-la. Aos servir-nos, eles aumentam a própria vibração, desfrutam mais da vida depois da morte e fazem crescer as próprias almas. De forma muito semelhante à do ministério dos anjos (e muitas vezes mandados por eles), os guias auxiliares nos ajudam em tarefas específicas, projetos especiais ou hobbies, e pertencem a diversas categorias. Com frequência, como no caso de Natalie, eles são membros da família ou amigos que falam conosco do Outro Lado, ajudando-nos porque nos amam.

Os auxiliares são especialmente úteis em áreas nas quais eram especializados quando vivos. Por exemplo, tenho um guia chamado Sr. Kay, que foi meu professor de oratória quando eu estava no ensino fundamental. Ele era um dos meus instrutores mais amados e compreensivos. Seu espírito aparece sempre que faço gravações de áudio, ajudando-me a não gaguejar ou cometer outros erros, assim como me ajudava quando eu participava de competições de oratória na escola. Para minha surpresa, a maioria dos meus trabalhos de gravação fica perfeita na primeira tentativa — o que eu jamais conseguiria se não tivesse Sr. Kay ao meu lado.

Os guias auxiliares vão afetuosamente aparecer para dar uma forcinha quando estamos perplexos, bloqueados ou desanimados, como estava Dan, um pai de gêmeos de 7 anos que acabara de perder a esposa e que me procurou para uma consulta. Ele estava arrasado pela morte da esposa, com câncer de mama, mas também preocupado porque não tinha quem cuidasse dos filhos para que ele pudesse voltar a trabalhar. Ele tentou duas agências de babás, mas nenhuma delas conseguiu fornecer o tipo de cuidado que preenchesse o vazio da vida familiar... e dos corações dele e dos filhos.

Quando me procurou, Dan estava desesperado. Felizmente, seu guia auxiliar apareceu. Pela mensagem que recebi, tive certeza de que se tratava da esposa. Quando ele perguntou "O que posso fazer?", só ouvi como resposta duas palavras: primeira comunhão.

Perguntei se ele era católico.

— Não, não sou — respondeu Dan. — Minha esposa frequentava a Igreja Episcopal, que adorava e aonde sempre levava os meninos, mas nessa questão de religião eu sou neutro, e só ia de vez em quando.

— Os episcopais têm primeira comunhão? — perguntei.

— Acho que sim, por quê? Você acha que devo levar os meninos para fazer a primeira comunhão? O que isso tem a ver com encontrar a pessoa certa para cuidar deles de modo que eu possa voltar ao trabalho?

— Não sei — respondi —, mas isso é o que sua esposa está sugerindo.

— É, isso é a cara dela — disse ele, com os olhos cheios de lágrimas. — Não acho que isso vá resolver meu problema, mas quero seguir os desejos dela... Só não consigo fazer a conexão. Você pode pedir que ela explique?

Quando repassei as perguntas dele, recebi a mesma resposta, portanto, Dan aceitou a mensagem e foi à igreja da esposa inscrever os filhos nas aulas para a primeira comunhão. Durante o curso ele conheceu outros pais e contou-lhes sua história. Então uma mulher chamada Donna revelou que na semana seguinte a mãe dela, viúva há pouco tempo, se mudaria de Utah para viver com a família e logo estaria procurando emprego. Ela garantiu que a mãe, que fora dona de casa por toda a vida, seria uma babá perfeita.

Uma semana depois de chegar de Utah, a mãe de Donna apareceu na casa de Dan, pronta para trabalhar e para amar e cuidar dele e dos meninos. A conexão foi incrível, e cinco anos depois ela ainda está com eles e se tornou o esteio da família.

É importante observar que os auxiliares nem sempre precisam fazer alguma coisa para ser úteis. Acho que em muitos aspectos a maior dádiva deles é nos fazer saber que a vida continua depois da morte e que o espírito não morre, mesmo quando o corpo morre. Perder o medo da morte nos ajuda a viver mais plenamente, o que talvez seja a maior missão dos auxiliares. Por exemplo, Dennis, o irmão mais novo de meu marido, foi para o outro lado há muitos anos, mas visita nossa casa o tempo todo. Ele adorava andar de bicicleta com Patrick quando eles eram jovens (inclusive os dois cruzaram o país de bicicleta uma vez), e ele ainda se mostra presente quando meu marido pratica ciclismo, principalmente no campo. Patrick diz que sente o irmão pedalando a seu lado, levando-o a descobrir novas trilhas e lugares interessantes pelo caminho.

Dennis também adorava flores, e com muita frequência sinto a presença dele quando estou no jardim. Na verdade, toda vez que vejo uma nova flor lá fora sinto o espírito carinhoso de meu cunhado ao lado dela. Amo essas ocasiões, e sei que Dennis está presente para me ajudar a apreciar a vida.

Da mesma forma, minha mãe se comunica o tempo todo com a mãe *dela* (minha avó) em sonhos. As duas foram separadas durante a guerra, quando mamãe era criança, portanto, minha mãe fica maravilhada por estabelecer a conexão com vovó quando sonha. Às vezes, elas vão a um lugar bonito onde escutam músicas maravilhosas, e dançam e cantam juntas durante toda a noite; em outras ocasiões, minha avó dá a minha mãe dicas sobre costura e modelos — uma paixão criativa que elas compartilham. Ela até conta piadas que minha mãe recorda e nos conta. Em outras ocasiões, ela só fica *ali*, dando a minha mãe amor e companhia.

Além de parentes e amigos mortos, os auxiliares também podem ser espíritos que não têm nenhuma relação conosco no presente, mas com quem tivemos fortes ligações em vidas passadas. Eles muitas vezes aparecem para continuar a nos ajudar a crescer em áreas em que trabalhamos juntos no passado. Por exemplo, eu tenho dois guias auxiliares muito amados chamados Rose e Joseph, que me ajudam muito em minhas missões na vida como instrutora do sexto sentido e médium de cura. Sinto a presença deles quando estimulo as pessoas a abrir seus corações e a ter mais amor por si mesmas e pela vida. Tenho certeza de que conheci esses espíritos em vidas passadas e que, mesmo naquela época, nosso trabalho conjunto era orientar, aconselhar e direcionar as pessoas de uma forma muito semelhante à que faço hoje.

Eu também trabalhei com as Irmãs Pleiadianas, guias que me ajudam quando dou consultas — principalmente quando estou mostrando a alguém seu caminho da alma ou propósito mais elevado. De acordo com essas irmãs, sou aluna delas há várias encarnações. Sei que elas são essenciais para meu trabalho e me apoio muito nelas para orientar todos os meus clientes.

Também podemos atrair auxiliares que nos procuram porque amam o trabalho que fazemos e querem compartilhar conosco o conhecimento e a experiência que adquiriram. A conexão deles conosco é mais impessoal, já que não estão ligados a nós pelo passado. Na verdade, eles, muitas vezes, são mandados a nós pelo ministério dos anjos, porque esses anjos sabem que determinado guia auxiliar pode se apoiar na experiência de vidas anteriores para nos ajudar em uma área em que estamos inseguros.

Esses guias podem ser médicos que nos ajudam com nossa saúde física, ou financistas e banqueiros que nos auxiliam a atrair ou gerenciar melhor o dinheiro. Eles podem até mesmo ter sido biscateiros ou faz-tudo e nos ajudar a consertar coisas — como o guia mecânico que mencionei e graças a quem consegui dar partida no carro quando ele parou de funcionar no meio do trânsito.

Você sabia que os guias auxiliares...

... foram humanos em alguma época, e sua vibração e frequência ainda estão muito conectadas com o plano da humanidade?

... em geral, comunicam-se telepaticamente conosco por meio de palavras e mensagens curtas que selecionamos em nossa mente?

... gostam de se conectar conosco quando estamos sonhando, principalmente numa espécie de conversação amigável?

... raramente explicam o que disseram (o que pode ser complicado se você for muito controlador ou gostar de elaborar demais os pensamentos), pois as orientações deles, normalmente, pedem que aceitemos instantaneamente o que eles dizem se quisermos ser auxiliados?

... conservam os conhecimentos e as competências que aprenderam na forma humana e têm o compromisso de compartilhar conosco esse saber antes de partirem para frequências mais elevadas?

... nos ajudam com o objetivo de encerrar a conexão deles com a terra, de modo a poder partir para vibrações mais altas e outras experiências anímicas?

Meu pai é um faz-tudo fantástico (entre outras coisas) e pelo que me lembro, sempre foi capaz de consertar tudo o que parava de funcionar, inclusive televisores, aspiradores de pó, refrigeradores, DVDs, aparelhos de ar-condicionado e até mesmo lavadoras ou secadoras de roupas. Maravilhada com sua competência, uma vez perguntei a ele onde aprendera a ser tão habilidoso, e ele respondeu:

— Na verdade, não aprendi com ninguém. Simplesmente me limito a seguir meu guia interior, que me diz o que fazer, e juntos conseguimos resolver o problema. — Meu pai deve ter um auxiliar muito talentoso, porque sempre consegue bons resultados.

Note que alguns dos seus auxiliares permanecem junto a você durante toda a vida, enquanto outros são mais esporádicos e aparecem por um curto período para ajudá-lo num projeto específico. Se você quiser aceitar a orientação deles, esses guias ficarão ao seu lado e levarão a tarefa até a conclusão. Se, no entanto, você pedir ajuda e depois ignorá-los, eles irão se afastar. Eles estão ali para ajudar, mas nunca nos obrigam a aceitar sua assistência, portanto, se você insistir em fazer tudo à sua maneira, sem considerar a opinião deles, eles o respeitarão e irão embora.

A chave para trabalhar bem com qualquer guia auxiliar é acalmar a mente e confiar no que vier, em vez de permitir que o ceticismo e a lógica bloqueiem as sugestões dele. Você pode ouvir instruções em apenas uma ou duas palavras (ou um pouco mais, se tiver sorte). Em geral, eles só darão a instrução uma vez, então, não deixe seu livre-arbítrio interferir — cabe a você prestar atenção para não perder a instrução.

Diane, uma corretora de imóveis, participou de um curso que dei no norte do estado de Nova York. Ela contou um belo exemplo dos benefícios que podemos colher se quisermos ouvir os auxiliares sem hesitação ou resistência. Acontece que um dia ela estava voltando para casa depois de mostrar um imóvel quando recebeu um telefonema sobre uma nova casa que acabara de entrar no mercado. Ela decidiu dirigir até lá para ver o imóvel. Quando chegou, sentiu uma atração instantânea pelo lugar. De repente uma voz disse, alto e claro: *Compre!*

Diane já possuía duas casas e estava no limite de seus recursos, mas o guia auxiliar insistiu: *Compre!* Foi tudo o que ela ouviu, mas sentiu que era correto, e isso foi o bastante.

— Ok, vou comprar — disse em voz alta, acrescentando: — mas você precisa me ajudar.

Quando voltou para casa e contou ao marido o que acontecera, ele reagiu negativamente, perguntando:

— Que fim levou seu plano de comprar uma casa dos sonhos na praia?

Apesar disso, Diane não recuou. Ela nem acreditava na certeza que sentia, pois raramente confiava tanto no instinto (e nunca contradizia o marido), mas nesse caso ficou firme na decisão de seguir a instrução do guia auxiliar. Ela entendeu que estava cansada de perder oportunidades por medo e hesitação, e estava pronta para dar uma chance à intuição. Quando manifestou sua decisão inabalável de escutar o guia, o marido voltou atrás, o que jamais havia acontecido antes.

À noite, Diane contou o plano de comprar aquela propriedade para o filho, Ryan, que era casado e alugava uma das duas casas da mãe. Para surpresa de Diane, ele perguntou:

— Mamãe, você se importaria se eu comprasse a casa em vez de continuar como inquilino?

Ryan nunca manifestara o desejo de se mudar, e muito menos de ter uma casa própria. Contudo, assim que ele fez o pedido, a ideia repercutiu em Diane. Juntos fizeram uma oferta em nome dele, e três semanas depois a casa lhes pertencia.

O melhor da história ainda está por vir: como Ryan mudou-se da segunda casa, Diane agora poderia vendê-la. Ela foi vendida em poucas semanas pelo triplo do valor de compra, e de repente minha aluna tinha dinheiro mais do que suficiente para comprar uma casa na praia — o que ela e o marido fizeram pouco depois. Embora isso possa parecer improvável, na verdade é um exemplo clássico dos benefícios de ter guias auxiliares: em menos de dois meses, uma série de desejos inter-relacionados foi concretizada porque Diane aceitou a ajuda do guia.

Também é importante prestar atenção aos sonhos, pois eles muitas vezes são o portal por meio do qual os guias auxiliares se conectam conosco. Por exemplo, minha cliente Patricia sentiu que seu auxiliar era o falecido pai. Quando ele estava vivo, os dois não eram muito chegados, porque o pai trabalhava demais como gerente de investimentos, mas isso mudou logo depois que ele morreu. Patricia começou a sonhar com ele — sempre no contexto de dar conselhos financeiros. Com o tempo, o contato evoluiu para uma conexão diurna em que ela até mesmo ouvia mentalmente a voz dele.

Com o desejo de se tornar produtora de cinema, Patricia mudou-se de Michigan para a Califórnia, onde o pai continuou a lhe dar conselhos — principalmente quando ela foi a uma entrevista de emprego numa produtora em que ela realmente queria trabalhar. Patricia ficou tão orgulhosa por ter sido convidada a participar da seleção para o que considerava o emprego dos sonhos, e estava tão ansiosa para entrar na empresa, que teria aceitado trabalhar de graça se os empregadores pedissem.

Enquanto discutia as condições de trabalho com a entrevistadora, Patricia sentiu a forte presença do pai e, antes que tivesse chance de responder à oferta inicial de 27 mil dólares, ouviu a voz do pai dizer 33 mil dólares.

A intervenção dele foi tão inesperada que ela ofegou, assustando tanto a si mesma quanto a entrevistadora, que, para surpresa de Patrícia, falou:

— Bem, talvez esse salário seja um pouco baixo... talvez nós possamos chegar a 30 mil dólares se você estiver disposta a cumprir a carga horária.

Mais uma vez, o pai de Patricia insistiu em 33 mil dólares, e sua voz era tão clara e insistente que ela repetiu em voz alta:

— Trinta e três mil dólares.

— Essa é sua última proposta?— perguntou a potencial empregadora. — Nesse caso, vou precisar conversar com minha sócia. Você tem um currículo muito bom e parece ter muita experiência, mas 33 mil é mais do que estamos dispostas a investir nessa vaga. Terei de entrar em contato com você depois.

Patricia estava certa de ter perdido o emprego. Quando entrou no carro, disse ao pai: "Sei que mereço um salário de 33 mil dólares, mas não sei se eles sabem disso."

Mais uma vez ele se limitou a dizer 33 mil dólares. Uma hora depois ela recebeu um telefonema oferecendo-lhe o emprego nos termos desejados.

Acho interessante o fato de que os auxiliares, muitas vezes, se apresentam apenas para dar uma mãozinha ou resolver um problema, e, quando fazem isso, eles se retiram. Um excelente exemplo dessa situação aconteceu quando Patrick e eu compramos a nossa primeira casa, que tivemos de reformar completamente. Como nenhum dos dois sabia como fazer isso (e sequer tínhamos o dinheiro necessário), trabalhamos na base da inocência e do puro pânico. Nossa primeira atitude foi quebrar tudo para começar do zero.

O que mais me incomodava na casa era o fato de que a sala de jantar do andar térreo era muito escura e não tinha janelas; contudo, se abríssemos uma janela, ela estaria voltada para a horrorosa lateral do edifício vizinho. Patrick sugeriu usarmos iluminação para clarear a sala, mas não gostei da ideia. Eu sabia que devia haver uma solução não muito cara e fácil de executar, portanto, uma noite antes de dormir pedi a meus auxiliares alguma sugestão.

Sonhei que me encontrava com um romano alto e bonito que calçava sandálias e me levou a diversas igrejas, mostrando-me os vitrais para que eu os admirasse. Três ou quatro vezes ele mencionou como era bela a luz do sol através dos vidros coloridos, iluminando e colorindo tudo.

Acordei com a sensação de ter tirado férias. Quando contei o sonho a meu marido, entendi que o guia romano estava me dizendo para usar vitrais na sala de jantar. Podíamos colocar uma linda janela com vitrais, ter luz e cor e evitar a vista desagradável. Era uma solução perfeita em que eu jamais teria pensado. Patrick e eu adoramos a ideia, mas por onde deveríamos começar?

Mais uma vez, graças ao auxiliar, isso também foi resolvido. No dia seguinte recebi um cliente que depois da consulta me fez perguntas sobre a casa. Comentei com ele sobre nossas dificuldades, inclusive a ideia do vitral. Ele disse que conhecia o melhor vitralista da região, e que esse artista acabara de chegar da Europa e estava disposto a trabalhar por um valor modesto enquanto se tornava famoso.

Para encurtar a história, naquela mesma tarde meu marido e eu entramos em contato com o artista, e ele ficou encantado com a possibilidade de criar uma janela de vitrais por um preço apenas um pouco superior ao de uma janela comum. Depois de instalado, o vitral ficou maravilhoso, e deixava entrar luz e cor enquanto bloqueava completamente a vista indesejável.

Um ano depois aquele artista já tinha fama e começou a ganhar prêmios, tendo inclusive aparecido numa revista de arquitetura. Ter uma de suas janelas em nossa casa aumentou bastante o valor do imóvel quando foi vendido.

Quanto a meu auxiliar romano... bem, depois daquele sonho, não tornei a vê-lo.

As celebridades no mundo espiritual

Os auxiliares mais interessantes costumam ser os famosos que já morreram. Se você quiser, pode invocar esses mestres do passado para ajudá-lo. Por exemplo, em meu trabalho com frequência peço ajuda ao famoso médium e espiritualista Edgar Cayce, principalmente em questões de saúde e vidas passadas. Em muitos casos, mais que qualquer outro guia, ele me ajudou a compreender essas questões.

Minha amiga Julia Cameron, a renomada escritora e teatróloga, pede ajuda a Rodgers e Hammerstein quando cria musicais, e a John Newland, o famoso diretor, quando escreve peças teatrais. Da mesma forma, uma cliente minha que é médica muitas vezes invoca a pesquisadora Marie Curie para ajudá-la a fazer o diagnóstico correto.

Os guias auxiliares célebres são maravilhosos para ajudar na criatividade, como demonstrou meu amigo o astro de rock Billy Corgan. Billy me contou que quando trabalhava em seu primeiro álbum solo, *The future Embrace*, sentiu-se como se estivesse sendo alimentado com composições musicais específicas de excelentes músicos celestiais. Depois de ouvir sua música, tive certeza de que ele foi ajudado, porque as canções têm uma energia celestial muito bela.

Conheço outro jovem compositor que invoca o espírito de John Lennon para ajudá-lo a compor suas canções; e veja quanta gente já invocou Elvis Presley! Obviamente, ele está ajudando, ou não existiria toda uma indústria de pessoas que perpetuam sua grande música, ganham a vida com isso e ainda se divertem!

Quando eu era menina, minha mãe começou a estudar pintura num curso por correspondência. Ela estava tão decidida a se tornar proficiente que progrediu rápido e logo começou a participar de competições. Sempre que se via em dificuldade num projeto, ela se sentava e rezava pedindo ajuda. Em resposta, um pintor renascentista chamado Fra Angelico aparecia nos sonhos dela para dar dicas específicas sobre como melhorar seu trabalho. Ele orientou-a numa tela especialmente difícil e fez um trabalho tão bom que minha mãe ganhou um concurso nacional com aquela obra!

Invocar gente famosa para ajudá-lo pode parecer uma ideia chocante, mas por que não? Essas almas levaram seus talentos a um nível de maestria e estão muito dispostos a vir do Outro Lado compartilhar o que aprenderam. Afinal, quando era primeira-dama, Hillary Clinton invocou a ajuda de Eleanor Roosevelt. Na época, as pessoas riram, mas eu achei a ideia brilhante... E considerando-se tudo o que aconteceu enquanto a Sra. Clinton estava na Casa Branca — e considerando-se onde ela está hoje —, eu diria que, sem dúvida, ela recebeu ajuda.

Até mesmo minha filha, que tem dificuldade com matemática e ciência, não sente nenhuma inibição quanto a pedir a ajuda dos melhores tutores, inclusive Einstein (que ela chama com frequência). Ele responde? Bem, ela sempre é aprovada — e este ano chegou a receber uma média A —, portanto, vejo que, com certeza, ele responde.

Se você precisar de assistência numa área específica e se lembrar de alguma pessoa famosa que já foi para o plano espiritual, basta invocar a ajuda dessa pessoa. Para isso, se possível, consiga uma foto dela; senão, escreva seu nome, medite sobre seu espírito e peça que ela se apresente para ajudá-lo. Não é preciso implorar, porque eles estão no espírito e já não têm ego — apenas peça ajuda, e seja tão específico quanto possível.

E eis um conselho para os espertos: às vezes as pessoas tendem a agir de forma meio idiota diante dos famosos, humilhando-se na presença deles... acredite, até mesmo depois de mortos. Basta lembrar que no nível da alma somos todos parte de um único espírito e uma única família, apenas reverberamos em níveis diferentes — mas não há separação. Portanto, quando pedir, lembre-se de que o papel deles é apoiar sua criatividade, e não simplesmente dar-lhe ideias. Os auxiliares (até mesmo os famosos) não nos consideram pequenos: somos magníficos, e eles sabem disso, e querem nos ajudar a descobrir isso também.

Agora é sua vez

Para invocar seus guias auxiliares — famosos ou não, amigos ou parentes, pessoalmente conhecidos ou desconhecidos — focalize as áreas para as quais quer ajuda e então peça para receber assistência do maior nível de habilidade possível. É maravilhoso chamar amigos ou parentes do passado, mas tenha cuidado — a perda do corpo não confere iluminação instantânea.

Se as pessoas amadas eram talentosas em alguma área quando vivas, elas podem vir do plano espiritual para ajudá-lo naquela área. No entanto, se sua mãe era uma jogadora compulsiva, por exemplo, não peça ajuda em questões de dívidas. Por outro lado, se sua avó permaneceu sessenta anos casada com o mesmo homem e foi feliz até morrer, ela pode ser de grande valia para ajudá-lo com as dificuldades do casamento e dos relacionamentos. Apenas lembre-se de usar de bom senso quando pedir ajuda, assim como faria se estivesse tratando com pessoas deste plano. Abra o coração, tranquilize a mente e escute a orientação... ela *virá*.

CAPÍTULO 15

Os guias de cura

Um dos grupos mais belos de guias com quem podemos nos conectar são os de cura, que existem em duas formas: (1) os que nas encarnações humanas passadas foram curandeiros, médicos ou cuidadores e se focalizam em curar o corpo e (2) aqueles que vêm de frequências energéticas muito elevadas, mas nunca tiveram forma humana, e que curam o espírito.

Em geral, os guias de cura usam todos os meios possíveis para atrair nossa atenção, inclusive comunicando-se por telepatia, aparecendo nos sonhos, empurrando-nos fisicamente ou causando outras sensações no corpo. Eles podem também mandar agentes com mensagens e são conhecidos por fazer de tudo para nos dirigir para o local correto, na hora certa. Eles usam qualquer manobra que puderem.

Esses seres costumam ser sutis no início, mas aumentam o volume e intensificam os esforços de acordo com a gravidade da situação, fazendo todo o possível para chegar a você. Ao contrário do que acontece com os auxiliares, não é preciso pedir-lhes ajuda — eles se comprometeram a guiar-nos por toda a vida.

Os membros desse grupo não interferem com nossas escolhas, mas procuram nos informar quando essas escolhas não estão alinhadas com nossa saúde e bem-estar. Por exemplo, meu cliente Tom acabou de receber o diagnóstico de diabetes tipo 2. Ele me contou que durante mais de 15 anos, toda vez que se servia da segunda fatia de bolo ou da terceira garrafa de cerveja, sentia uma pequena tensão física, e uma voz sussurrava em sua orelha esquerda: "É excesso, é excesso."

Ele não prestava atenção ao que considerava apenas resmungos da própria consciência, mas no fundo sentia que era algo mais. A voz e a tensão pareciam não vir de dentro, mas de alguém a seu lado. Como Tom era magro e não comia demais, ninguém o alertava para que usasse de moderação.

Quando recebeu o diagnóstico, Tom perguntou:

— Como isso aconteceu?

E o médico respondeu:

— Quem sabe? Pode ser genético ou talvez você tenha maus hábitos. Ou pode ser o excesso de coisas erradas em sua alimentação; quantidades que não prejudicam outros, mas não são boas para você.

Ouvir "é excesso" não era surpresa para Tom, porque seus guias de cura diziam isso havia muitos anos.

Esses espíritos não se limitam a avisar quando as escolhas pessoais podem ser prejudiciais; eles também nos avisam de problemas ambientais. Uma vez eles trouxeram a meu marido uma mensagem salvadora quando ele vivia em nossa primeira casa, um apartamento de dois andares na zona norte de Chicago. Nós dois éramos trabalhadores autônomos e naquele outono havíamos instalado os escritórios em casa, sendo o meu no primeiro andar e o dele, no porão.

Patrick trabalhava no porão durante horas seguidas, mas um dia simplesmente não conseguiu ficar sentado à mesa de trabalho. Durante todo o dia ele recebeu mensagens para ir até a sala da caldeira.

Patrick obedeceu todas as vezes; embora não conseguisse encontrar nada errado, continuou sentindo mal-estar.

Imediatamente antes de se deitar ele me contou o que se passara e disse: "Não sei o que está acontecendo, mas amanhã vou chamar o pessoal da manutenção para dar uma olhada e verificar se está tudo bem, antes que comece a fazer muito frio."

No dia seguinte, ao meio-dia, chegou o técnico em calefação, que descobriu um vazamento muito pequeno de monóxido de carbono. Ele disse que era pequeno demais para ser perigoso com as janelas e portas abertas; no entanto, foi bom que tivéssemos descoberto naquele momento porque, quando fechássemos as janelas no inverno, aquilo poderia nos matar. Graças a Deus, os guias de cura conseguiram falar com Patrick naquele dia!

Encaminhadores espirituais

Esses espíritos assistentes também trabalham indiretamente levando-nos à presença de pessoas que darão informações necessárias para mantermos a saúde como, por exemplo, notícias sobre um novo exame ou tratamento, ou até mesmo algo tão simples quanto a indicação do médico certo. Os acontecimentos muitas vezes parecem acidentais, mas não são; há um planejamento muito sutil envolvido no ato de nos colocar no lugar certo, na hora certa, para conseguirmos aquilo de que precisamos.

Por exemplo, um dia marquei uma limpeza de pele — que raramente faço —, porém, em vez de ir ao salão mais próximo, fui orientada a atravessar dois bairros para ver uma mulher que trabalhava em casa. Ela era minha cliente havia anos, mas eu nunca tinha pensado em usar os serviços dela até que meus guias de cura disseram em minha mente, tão claramente quanto se tivessem falado em voz alta: *Procure Erica.*

— Erica? — perguntei. — Não é um pouco longe só para uma limpeza de pele?

Escutei novamente *Procure Erica*, portanto, fui até lá.

Ela ficou encantada ao me ver, e não poderia ter feito em minha pele um trabalho mais consciencioso, carinhoso e profissional. Enquanto ela trabalhava, revelei a constante luta de minha filha mais nova, Sabrina, com enxaquecas, dores de estômago e insônia, problemas cuja causa nenhum médico conseguira identificar. Isso já acontecia por vários anos, tornando a vida dela muito infeliz.

— Eu sei a quem você deve procurar. — E Erica me falou sobre um famoso nutricionista que poderia ajudar.

Essa abordagem nunca me ocorrera, e senti um imenso alívio em poder fazer alguma coisa por minha filha.

Considerando essa dica uma mensagem dos guias de cura e o real motivo pelo qual fui encaminhada a Erica, levei Sabrina ao nutricionista. Ele concluiu que minha filha era alérgica a trigo e laticínios, e cortou imediatamente esses alimentos da dieta dela. Embora Sabrina não tenha experimentado a cura milagrosa e instantânea que eu esperava, a mudança eliminou em um mês 95% dos problemas, inclusive muitas idas ao hospital.

Como mostraram no caso da minha filha, esses guias muitas vezes são úteis para ajudar em problemas de saúde que confundem os médicos, já que eles, tanto quanto possível, tentam ajudar os terapeutas terrestres. Esse foi o caso da minha cliente Louise, que aos 36 anos era a imagem da saúde; na verdade ela era uma fanática da boa forma. Corredora compulsiva, muito consciente da alimentação e devotada a comportamentos saudáveis, não conseguia entender por que sua saúde começou a deteriorar. Para horror de Louise, no decorrer de um ano ela passou sem motivo aparente de jovem vibrante a inválida, quase incapacitada. A energia dela desapareceu, deixando-a quase totalmente presa à cama; seu cabelo caiu, sua visão ficou turva e ela não conseguia focalizar a mente.

Após ter recebido diversos diagnósticos como depressão, vírus Epstein-Barr, síndrome de fadiga crônica, lúpus e até mesmo distúrbio bipolar, Louise fez dezenas de exames, mas nada de conclusivo foi descoberto, e sua condição física só piorava.

Enquanto isso, ela perdeu o emprego, o parceiro e a vontade de continuar a viver. Em desespero, Louise me procurou para uma consulta, esperando que eu pudesse ajudar.

— Estou pirando? — perguntou chorando, sentada em meu escritório. — Quase não consigo me levantar para ir ao banheiro, e os médicos dizem que estou apenas deprimida. Algum dia isso vai acabar?

Perguntei tanto a meus guias de cura quanto aos dela qual era o problema de Louise. Eles foram claros e diretos: "Alimentação."

— Alimentação? — perguntou com ironia. — Como é possível? Eu só como vegetais e peixe. Tenho a melhor das dietas, melhor do que a da maioria.

— Os guias disseram "alimentação" — insisti.

— Mas eu não como carne, açúcar ou alimentos processados. Qual pode ser o problema?

— Talvez seja o peixe.

— Como pode ser o peixe? Peixe é bom para a saúde.

— Não sei — respondi. — Converse com seu médico sobre isso. Talvez ele saiba alguma coisa que nós não sabemos.

Louise se levantou para ir embora. Ela estava desapontada porque nem meus guias nem os dela conseguiram dar uma solução para seu problema de saúde, e me disse isso.

Eu também estava decepcionada. Esperava dar algo mais dos guias, mas não tenho controle sobre o que eles dizem. No entanto, a mensagem era tão clara que sentia que acabaria por fazer sentido.

— Lamento que você esteja decepcionada — falei, quando chegamos à porta —, mas não tenho controle sobre o que eles veem. Pergunte a seu médico na próxima consulta e veja o que ele diz.

Uma semana depois, Louise telefonou:

— Sonia, adivinhe! Os médicos finalmente acham que sabem o que está me deixando tão doente, e você foi a primeira a me dizer! É envenenamento por mercúrio, por causa de todo o peixe que tenho comido. Muito obrigada!

— Não me agradeça, agradeça a seus guias. Foram eles que indicaram o problema.

A assistência em situações como a de Louise é maravilhosa, mas esses espíritos trabalham com mais do que a saúde física. Eles também prestam uma diligente assistência à alma, que pode ficar doente e fragmentada por causa de depressão, drogas, alcoolismo, trauma e agressões, principalmente na infância. Eles trabalham também com nossos campos energéticos, que podem ficar esgotados por causa de uma identidade fraca, baixa autoestima, cansaço ou limites pessoais insuficientes.

Foi exatamente isso o que fizeram por meu cliente Noah, que sofria havia anos de depressão e abuso de drogas. Essa luta causou um imenso mal à vida dele: a esposa o deixou, Noah foi à falência, e os filhos pararam de falar com ele. Não é que Noah não tentasse ficar sóbrio ou, em suas palavras, "virar adulto". Ele tentou tomar medicação para depressão, fazer o programa de 12 passos e até mesmo terapia em grupo. No entanto, no fundo ele se sentia mais à vontade culpando o resto do mundo pelas escolhas que fazia, em vez de ver a própria verdade. Isto até que seu colega de bebedeiras e de autopiedade subitamente morreu em decorrência de um aneurisma cerebral.

Arrasado, Noah enxergou o vazio de todos aqueles anos de autodestruição e foi para a cama chorar. Provavelmente pela primeira vez na vida ele pediu sinceramente a ajuda de "alguém aí fora".

Noah caiu num sono profundo em que entrou no que alguns chamam de "sonho lúcido". Ele se viu de pé diante de um belo homem alto e barbado, com um longo casaco vermelho e cinza e botas pretas. Os dois olhavam para o corpo adormecido de Noah.

Meu cliente perguntou ao homem do sonho:

— Não suporto mais a mim mesmo. Existe alguma cura para isso?

O homem deu um sorriso que lhe tocou o coração e respondeu:

— Esqueça o passado, seja útil, limpe o corpo e a mente de toxinas e sirva a Deus... e saiba que estamos aqui para ajudá-lo.

Noah acordou ainda escutando a voz do homem, e pela primeira vez na vida sentiu que alguém se interessava por ele e podia ajudar. Com isso, deu fim ao seu louco estilo de vida e ao comportamento autodestrutivo. Alguma ferida interna muito profunda havia sido curada.

Ele chamou isso de milagre, e eu estou de acordo. Aos 46 anos, Noah voltou a estudar para ser professor, algo que desejava profundamente, mas nunca teve coragem de fazer.

Eu testemunhei muitos milagres pela graça de Deus e da assistência dos belos guias de cura. A parte mais importante do trabalho deles é nos ensinar a ter fé, para que possamos mudar de direção e deixar que as forças divinas universais e celestes se aproximem para curar-nos o corpo, a mente e a alma.

A prática da cura

No outono passando minha amiga Lilly, que acabara de se mudar da Bulgária para Chicago, quebrou um dente, e de uma hora para outra começou a sentir muita dor e ansiedade. Precisando urgentemente de um dentista que soubesse falar búlgaro, sua única opção de ajuda imediata era uma dentista de reputação profissional nada brilhante. Sem querer passar pela agonia de procurar uma opção melhor, Lilly decidiu ir em frente e procurar essa dentista, porém, antes de se sentar na cadeira do consultório, começou a rezar ardentemente para pedir assistência a seus guias de cura.

Fechando os olhos ao abrir a boca, ela subitamente enxergou mentalmente um curandeiro alto e flamejante, com cabelos de chamas, que se apresentou como Zonu. Acalmada pela presença dele, Lilly pediu ao guia para orientar a dentista de modo que ela pudesse fazer um bom trabalho, restaurando (e, se possível, salvando) o dente quebrado. Alguns segundos depois apareceu outra guia, uma mulher chamada Madame Q, que passou a trocar ideias com Zonu.

Em seguida, os dois começaram a trabalhar juntos, guiando a mão da dentista e assumindo o controle do procedimento. Apenas vinte minutos depois, a dentista — ela própria espantada — anunciou que havia terminado. Naquele curto espaço de tempo ela não só conseguiu salvar o dente, mas também o restaurou perfeitamente, o que nunca conseguira fazer antes.

Nada surpresa, Lilly soube que o sucesso era devido à ajuda de Zonu e Madame Q. Ela agradeceu profusamente à dentista, declarando:

— Eu não tinha a menor dúvida de que você seria capaz de fazer um trabalho perfeito.

Lisonjeada e ainda confusa pela velocidade e pelo sucesso do procedimento, a dentista confessou:

— Para ser sincera, não sei como isso aconteceu. Tenho vergonha de dizer que eu não estava concentrada como deveria estar, pois pensava o tempo todo na pintura da minha casa. Quando dei por mim, tinha terminado o tratamento, e devo dizer que foi o melhor trabalho que já fiz em minha vida.

Lilly riu e retrucou:

— Não é importante saber como aconteceu. O fato é que você fez um excelente trabalho e agora posso ir para casa feliz, portanto, muito obrigada.

Porém, em seu coração, Lilly agradecia a Zonu e a Madame Q, pois sabia que a habilidade deles fora responsável por um procedimento tão rápido e perfeito. O que mais a impressionou foi a maneira como os guias foram capazes de pedir emprestada a mão de alguém para fazer seu trabalho, enquanto a mulher divagava. Com a assistência deles, minha amiga recebeu um verdadeiro milagre no mundo da odontologia: um dente salvo e uma conta pequenininha!

O maior objetivo de nossos guias de cura é restaurar nossa percepção de nós mesmos e nossa autoestima como filhos de Deus, ajudando-nos a aceitar o amor e as bênçãos ilimitadas que vêm do Criador. Abrir o coração e a mente para o próprio valor é a melhor de todas as curas.

Isso fica evidenciado pela experiência de minha cliente Julie. Essa mulher de 37 anos acabara de sair de um processo de divórcio litigioso em que perdeu a casa e a custódia dos dois filhos. Nem bem a tinta havia secado no termo de divórcio quando ela recebeu outro golpe devastador: descobriu um caroço no seio direito e recebeu o diagnóstico de câncer de mama no 4º estágio, com um prognóstico desfavorável e pouca chance de sobrevivência. Ainda sofrendo as consequências dos problemas familiares, receber essa notícia foi quase insuportável. Tentando assumir o controle, ela imediatamente começou um tratamento agressivo que incluiu uma dupla mastectomia, radiação e quimioterapia. No entanto, o tratamento não só a deixou arrasada e doente como também tirou toda sua vontade de viver.

Uma noite, esgotada pela náusea e pelo sofrimento, Julie decidiu que não valia a pena continuar a viver e desistiu. Ela havia perdido o corpo que conhecia, os filhos, a casa, até mesmo sua identidade de esposa e mãe, e sentia que não restava mais nada. Desesperada, só queria morrer.

Quando finalmente dormiu, Julie sonhou que estava cercada por dez belas mulheres de várias idades que cantavam carinhosamente canções de ninar para ela, penteando-lhe os cabelos e massageando-lhe os pés como se ela fosse a criança mais preciosa da Terra. Começando a chorar, Julie perguntou por que elas estavam sendo tão boas para ela.

A mais velha sorriu e disse que elas tinham vindo ajudá-la a se curar e voltar a gostar da vida. Julie respondeu que não tinha nenhum motivo para viver e que era um fracasso total, mas a mulher simplesmente sorriu e continuou a pentear-lhe os cabelos e a cantar, juntamente com as outras.

Deixando-se desfrutar dos cuidados amorosos das mulheres, Julie começou a relaxar num nível muito profundo — mais profundo do que jamais experimentara em toda a vida; quando deu por si, já era manhã. Parecia que tudo o que sobrara do sonho fora uma sensação de calor no peito, porém havia algo mais. Por incrível que pareça, ela sentia paz e queria muito viver. Foi como se aquelas mulheres tivessem removido o peso do seu sofrimento.

Sem olhar para trás ou se sentir envergonhada, Julie mergulhou com decisão no processo de cura: mudou a dieta, começou a frequentar um grupo de apoio e procurou um terapeuta e um conselheiro. Dois anos depois, foi declarada curada do câncer, e isso foi há sete anos.

— Aquelas mulheres operaram um milagre em mim — comentou ela.

— Elas eram suas guias de cura — respondi —, e realmente fizeram milagre. Elas abriram a porta para que você amasse a si mesma, e *isso* curou seu corpo.

Você sabia que os guias de cura...

... sempre nos fazem sentir paz, amor-próprio e autoaceitação?

... são gentis, não intimidam e perdoam?

... falam ao coração, e não ao ego — à essência eterna, e não ao ser mortal?

Se você sofrer de falta de fé, isso significa que em algum momento você perdeu contato com sua amorosa Fonte Divina e com seu Criador. Como uma bela flor sem um jardim onde crescer, quem vive sem fé, luta para sobreviver. Esse talvez seja o maior desgaste da saúde do corpo, da mente ou da alma, algo que você deveria pedir a seu guia de cura para corrigir.

Esses guias respondem abrindo o coração, acalmando a mente e elevando a vibração. Joseph, meu guia de cura, certa vez me disse que seu trabalho é como reiniciar um computador e limpá-lo de todos os programas velhos e inúteis, e de todos os vírus; ele remove os padrões negativos de modo que o equilíbrio seja restaurado.

Seus guias de cura podem fazer coisas notáveis por você, mas somente se você seguir a orientação deles e cooperar, tendo amor por si mesmo. Comece por saber que em toda doença está presente uma grande oportunidade de aprender, amar e honrar a si mesmo e aceitar o amor de Deus. Quando essa afeição divina não está bloqueada, a cura pode acontecer.

Por favor, não estou afirmando que o fato de ter uma doença ou uma luta existencial mostra que você fracassou. Cada alma assume desafios por razões que ninguém mais pode julgar ou entender. E isso e mais as toxinas ambientais, o estresse emocional e as lições cármicas nas quais você deve enfrentar as consequências e repercussões das escolhas infelizes do passado, desta vida ou de mais além, tornam impossível determinar uma razão simples para qualquer desequilíbrio. Todas as doenças são lições, seja para quem as experimenta, seja para quem está ao lado do doente.

A primeira lição que o guia de cura traz é: "Quando se trata de doenças (ou mesmo da própria vida), não julgue — jamais julgue a si mesmo ou aos outros!" A segunda lição deles é: "Perdoe — primeiro a si mesmo, depois, a todo o mundo." Se você estiver disposto a dar esses passos, abrirá o caminho para esses seres fazerem seu trabalho.

É importante observar que os guias de cura não substituem uma ajuda médica, psicológica ou emocional de um profissional, quando necessário. Na verdade, outra das funções importantes desses guias é conduzi-lo até a ajuda profissional correta.

Eles fizeram isso por mim depois do nascimento de minha segunda filha, quando meu corpo entrou num estado de fadiga crônica; por mais que eu dormisse, só me sentia pior. Fui a um número infinito de médicos e fiz inúmeros exames, sem resultado.

Pedi ajuda a meus guias de cura. No dia seguinte fui à livraria Barnes & Noble comprar alguns livros para minha filha mais velha. Quando eu estava lá, caiu da prateleira quase em minha cabeça um livro sobre hipotireoidismo. Nem preciso dizer que aquilo chamou minha atenção, embora eu tivesse feito um exame para esse problema. Meu médico da época disse que meu nível do hormônio da tireoide era fronteiriço e não trazia problemas, mas, depois de ler o livro, tive certeza de que alguma coisa não estava certa.

Meus guias de cura então me deixaram consciente de um médico holístico, que procurei para uma segunda opinião. Meus níveis de hormônio da tireoide ainda estavam razoáveis, mas ele me deu uma dosagem muito baixa do hormônio, e aquilo resolveu o problema. Um mês depois, meu nível de energia aumentou e recuperei minha vida. Mais uma vez, os guias de cura indicaram o problema e me levaram ao médico certo para ser tratada.

Minha experiência com o livro não é inusitada, pois esse é um dos principais meios pelos quais os guias se comunicam. Meu professor Charlie me disse que se um livro é recomendado uma vez, isso pode ser um sinal dos guias de cura; se ele é mencionado duas vezes, então, definitivamente, é uma mensagem deles; se o livro foi recomendado três vezes, os guias estão gritando para que você preste atenção!

Esses espíritos são supervisionados pelos anjos de cura e trabalham numa frequência muito elevada, com o maior grau de amor e compaixão. Tal como os auxiliares, muitos desses guias também tiveram em algum momento a forma humana, portanto, compreendem os desafios característicos da experiência humana e o que causa doenças e desequilíbrios. Muitos deles vêm das civilizações perdidas da Atlântida e da Lemúria para compartilhar o conhecimento que adquiriram, mas desperdiçaram ou utilizaram mal em encarnações passadas. Todos os guias de cura com quem trabalhei eram incansáveis e devotados, e consideravam um privilégio poder ajudar.

No entanto, como acontece com todos os guias, eles não podem *obrigar-nos* a ficar bem e equilibrados; precisamos fazer isso por nós mesmos. Eles trabalham de acordo com o princípio de que "Deus ajuda a quem se ajuda", mas são nossos parceiros na saúde; se seguirmos sua orientação, eles mostrarão o caminho.

Agora é sua vez

Para invocar os guias de cura e deixá-los abrir seu coração e cuidar de seu corpo você precisa primeiro ter compaixão e amor por si mesmo, e querer ser curado. Com sua cooperação, eles saberão exatamente o que fazer.

Para invocar os curandeiros, em benefício de outros, abra seu coração para eles e envie-lhes o mesmo amor incondicional e compaixão. Não focalize na doença, pois isso seria como regar uma erva daninha e promover-lhe o crescimento. Em vez disso, concentre-se no bem-estar total, de acordo com o plano divino.

Em ambos os casos, o próximo passo é rezar, pois os guias de cura respondem imediatamente às preces. Incontáveis estudos confirmaram que aqueles que rezam e aqueles que recebem orações para si dirigidas são curados mais depressa e de forma mais completa do que aqueles que passam sem essa ajuda.

Minha prece de cura favorita é:

Mãe Divina, Pai Divino e todas as forças de cura do universo, restaurem o equilíbrio do meu corpo, da minha mente e do meu espírito. Removam de minha consciência e do meu corpo tudo o que não está perfeitamente alinhado com seu amoroso plano para mim. Dou total permissão e cooperação a todas as forças restauradoras do Divino e da natureza amorosa para servirem a meu bem-estar. Amém.

CAPÍTULO 16

Os guias instrutores

Alguns dos guias mais devotados à nossa alma são os nossos instrutores. Eles reverberam numa frequência muito elevada e trabalham conosco para expandir nossa consciência e a compreensão de nossa verdadeira natureza como seres espirituais, concentrando seus esforços em nos ajudar a descobrir o objetivo de nossa vida, assim como o nosso karma ou nossas lições. Na verdade, a palavra *karma* significa "aprender" e traz uma sensação de sala de aula.

Esses espíritos diferem dos batedores e dos auxiliares porque têm pouco ou nenhum interesse por nossos problemas do dia a dia. Eles não se preocupam com questões como "Vou conseguir me casar?" ou "Devo comprar um carro novo?". Em vez disso, a atenção deles está direcionada no sentido de nos libertar das limitações do ego e expandir nossa percepção de modo que possamos assumir por inteiro o potencial ilimitado de viver em alegria como seres divinos. Eles também têm o compromisso de nos orientar sobre a melhor forma de servir a nossos semelhantes. Eles nos ajudam a abrir o coração e dissipar as ilusões, o medo, a crítica, as ideias falsas e as limitações autoimpostas.

Com frequência, o mesmo guia instrutor supervisiona a jornada da alma em várias existências. Eles se reúnem para formar a escola para a alma em que cada período passado na Terra representa mais um nível de adiantamento — assim como somos promovidos para o próximo nível da escola no plano físico.

Alguns desses seres passaram por existências como mortais, e dessa forma são solidários com as dificuldades que os seres humanos enfrentam à medida que aprendem a crescer na vida. Muitas vezes eles foram homens e mulheres sábios, mentores ou santos, e decidem continuar esse trabalho de lá do plano espiritual. Eles têm muita paciência e compaixão — e geralmente bom humor — enquanto lutam para nos ajudar a manter a sintonia com os desejos de nossas almas.

Embora possam ter sido nossos instrutores em vidas passadas, esses guias ainda precisam de um sinal de nossa parte antes de se aproximarem e começarem a trabalhar conosco mais uma vez. Alguns deles podem até mesmo ter sido nossos instrutores nesta existência, mas cruzaram para o outro plano no passado recente. Conversei com muitos médiuns, videntes e outros mensageiros espirituais ao longo dos anos, e quase todos tiveram pelo menos um instrutor influente que já cruzou a fronteira entre os dois mundos, mas continua a ser um guia poderoso no trabalho de suas almas. Esses relacionamentos são contratos de uma alma com a outra, e são íntimos e prolongados, não interrompidos pela morte.

Dois de meus instrutores desta vida, Charlie Goodman e Dr. Tully, foram para o plano espiritual há muitos anos, mas continuam a trabalhar comigo de lá. Sinto a orientação deles com a mesma clareza com que sentia ao me sentar nas salas de aula deles quando era uma estudante jovem e tímida.

Meu primeiro professor, Charlie, me ensinou quase tudo o que sei sobre o mundo dos espíritos e foi o primeiro a me apresentar o protocolo adequado para trabalhar com muitos dos meus guias. Tenho uma consciência muito clara de sua presença quando ensino outras pessoas — e mesmo agora, enquanto escrevo este livro. Sua marca registrada era (e ainda é) uma risada que parece uma cachoeira, cheia de energia. Suas gargalhadas sempre me lembram que no nível da alma tudo vai bem e que eu nunca devo ficar muito preocupada com nada.

Eu amava Charlie, e sou muito grata por ter sido capaz de manter a conexão com ele depois de sua morte. Ele conhece minhas forças e fraquezas, e toda vez que me desvio do caminho por insegurança, medo, crítica, impaciência, farisaísmo ou raiva, escuto a risada dele dissolvendo o feitiço em que caí. Com isso, sei que ele está me trazendo de volta ao centro.

O Dr. Tully, meu outro instrutor do passado, era muito menos próximo, mas exerceu o mesmo impacto no meu processo de aprendizagem. Ele demonstrou muitas vezes a correlação direta entre meus pensamentos e minha experiência. Seu estilo imparcial era parte do seu poder, e por intermédio dele aprendi a ser menos temperamental e mais objetiva em minha resposta ao mundo, uma lição difícil por cujo aprendizado sou grata e para a qual ainda preciso de ajuda. Seu cartão de visita é a voz poderosa; ela interrompe meu vozerio mental e me induz imediatamente ao silêncio.

Ele me ensinou a domar a mente, em vez de ficar presa à sua confusão. Ele também me mostrou que o objetivo de minha alma na Terra é ser criativa e aceitar total responsabilidade pela vida que crio. Até hoje, sempre que me entrego à minha atitude infantil de vítima a voz do Dr. Tully ecoa em minha cabeça, lembrando as palavras de Shakespeare: "Todo o bem e todo o mal derivam do pensamento." Portanto, cuidado com o que você pensa!

Os meus guias instrutores mais impressionantes são conhecidos como os Três Bispos. Eles me acompanham há diversas vidas, e estudei com eles na Idade Média quando eu era um padre francês examinando os mistérios antigos. Os Três Bispos me orientam e aos meus clientes quando se trata de tomar decisões; eles se concentram no desenvolvimento da integridade e do caráter. Eles são muito diretos quando chamam atenção para nossas decisões infelizes e quando incorremos em erro. Embora não meçam as palavras, eles falam com muito amor, e muitas vezes com muito humor, enquanto revelam meu potencial mais elevado e o de meus clientes.

Talvez você possa pensar em alguém que age como seu instrutor em espírito. Na verdade, alguns desses guias ainda podem estar vivos e orientá-lo não só no estado de vigília, mas também visitando seus sonhos e se conectando com você quando você divaga. Grande parte de nosso contato com os guias instrutores acontece nesse estado, pois todos estamos sempre preocupados com os dramas do dia a dia, e durante o estado de vigília esquecemos nosso chamado mais elevado. Eles também nos visitam durante a meditação, que é uma forma fantástica de ter contato direto enquanto estamos conscientes. A assistência deles provavelmente continuará depois que eles morrerem.

Em meu papel e minha missão de instrutora espiritual, centenas de alunos relataram que apareci de surpresa em seus sonhos ou em sua percepção. Alguns deles chegam a me ver em espírito quando têm dificuldades, e eu acredito neles. O espírito não está limitado pelo corpo físico, portanto, posso estar em dois lugares ao mesmo tempo.

Devo admitir que às vezes, quando acordo, tenho a sensação de ter trabalhado a noite toda ajudando ou instruindo meus alunos, e eles confirmam isso. Talvez você já tenha passado por essa experiência — no nível da alma você atua como professor de alguém e você também opera no mundo espiritual enquanto seu corpo dorme.

Dois de meus principais instrutores que ainda estão neste plano são minhas mentoras Lu Ann Glatzmaier e Joan Smith, duas almas profundamente sábias que conheço desde que tinha 14 anos. Não só entro em contato com elas quando estou acordada, mas também as vejo em meus sonhos. Quando estou dormindo, eu as visito regularmente e tenho com elas conversas longas, profundas e salutares, que valorizo tanto quanto minhas conexões por telefone e em pessoa.

Nesse caso, sou a aluna que visita seus professores à noite, às vezes tendo aulas até o amanhecer. Quando isso acontece, acordo exausta, e talvez uma situação similar possa ter acontecido quando você acorda fatigado depois de sonhar que instruiu alguém ou foi instruído.

Talvez você se surpreenda ao pensar que alguns de seus guias instrutores estão vivos, ou mesmo ao se ver como um potencial guia instrutor, mas todos temos uma história milenar como almas, e somos experientes — até mesmo sábios — em algumas áreas, enquanto em outras áreas ainda temos um longo caminho a trilhar. Tanto Charlie quanto o Dr. Tully me ensinaram que somos instrutores e alunos uns dos outros, simultaneamente, porque estamos todos ligados, como as células de um corpo — todos mostramos uns aos outros como crescer em níveis diferentes.

Você também pode se conectar com sábios do passado que adquiriram a percepção espiritual e a disciplina necessárias para acalmar a mente e fazer contato direto com o divino. Esses são seres muito gentis, amorosos e extremamente pacientes que aparecem quando começamos a questionar a natureza e o propósito da vida, e queremos viver de uma forma mais significativa. Por terem trabalhado muito e por muito tempo para eliminar seus egos, muitos optam por permanecer anônimos.

Esses guias com frequência nos indicam leituras, seminários, oficinas e reuniões espirituais. Muitos deles têm por objetivo levar a consciência da massa para uma frequência mais alta, e estão fazendo isso com muito sucesso desde a década de 1950. O número relativamente pequeno de hippies dos anos 1960 agora cresceu para milhares de pessoas interessadas em temas espirituais, em grande parte graças a esses guias, que trouxeram a meditação, o relaxamento, a massoterapia e ainda a exploração da intuição para uma plateia mais ampla. Eles também são responsáveis, juntamente com os guias de cura, por fechar o abismo entre a ciência e religião, tornando a espiritualidade conhecida, criando irmandades como os programas de 12 passos e as terapias em grupo, e abrindo as portas para tratamentos alternativos e holísticos. Todos eles são caminhos para mais conhecimento no nível da alma.

Você sabia que os guias instrutores...

...estão vindo em massa para praticamente todas as áreas de aprendizagem e experiência? Por exemplo, por meio da física quântica eles estão nos ensinando que somos energia pura, puro espírito, limitado somente por nossos próprios pensamentos. Em praticamente todas as disciplinas eles estão trazendo novas descobertas e eliminando os velhos preconceitos.

...nos procuram porque nosso planeta está sendo seriamente estimulado — principalmente no que se refere à nossa compreensão espiritual das coisas?

... estão perseguindo seu propósito mais importante quando nos ajudam a deixar de lado qualquer identidade falsa que tenhamos criado em função do ego?

... nos levam a viver total e verdadeiramente em nosso espírito?

Os guias instrutores com frequência atuam enviando mensageiros que nos convidam a participar de fóruns de aprendizagem. Uma vez, quando me sentia assoberbada pelo casamento, pelos filhos e pelo trabalho, pedi a meus guias instrutores que me indicassem o que eu precisava aprender para que minha vida ficasse mais fácil. No dia seguinte fui convidada a participar do Processo Hoffman da Quadrinidade, um programa intensivo em oito dias no qual aprendi novas estratégias criativas para viver em meu espírito. Esse curso se revelou um dos melhores treinamentos que eu poderia fazer. (Mais informações em www.hoffmaninstitute.org.*).

Da mesma forma, você saberá que seus guias instrutores estão a seu lado quando já não estiver satisfeita com a forma como encaminha a vida e quiser saber mais. Por exemplo, aos 40 anos, Max parecia ser a imagem do sucesso: um belo piloto, solteiro, com dinheiro e charme. Ele também era filho único de uma mãe italiana tradicional muito dedicada — embora exigente, segundo ele. Por outro lado, porém, ele se sentia infeliz, confuso e entediado, sem conseguir ver um sentido em sua vida, o que resultava numa leve depressão.

Um dia, em um avião vazio em Cleveland, sentado sozinho enquanto esperava que a tripulação e os passageiros embarcassem, Max fechou os olhos para relaxar. Subitamente, sentiu uma presença mais elevada. Aquilo pareceu abrir em sua mente uma porta que estivera trancada. Era como se uma força benevolente tivesse aberto seus olhos e seu coração, e ele instantaneamente entendeu que sua vida era insatisfatória porque ele era egoísta e egocêntrico.

Ele não ouviu vozes nem viu o fantasma dos Natais passados. Apenas sentiu abrir-se uma área que costumava estar fechada... e viu que estava sendo direcionado para tomar as decisões que vinha tomando. Seu comportamento negativo subitamente pareceu imenso, e ele se sentiu envergonhado e triste.

Max ficou tão estarrecido ao ver em que se transformara que teve dificuldade para pilotar naquele dia. Felizmente, conseguiu chegar a

---

* Empresas autorizadas a apresentar o Processo Hoffman no Brasil: Instituto Hoffman do Brasil: hoffman@institutohoffman.com.br; Instituto Hoffman de Porto Alegre: www.hoffmanpoa.com; Instituto Hoffman do Rio de Janeiro — Copacabana: www.processohoffmanrio.com; Instituto Hoffman do Rio de Janeiro — Botafogo: www.hoffmanrio.com; Centro Hoffman da Quadrinidade: www.centrohoffman.com.br (*N. da T.*)

Chicago (onde estava baseado), mas foi incapaz de cumprir seu cronograma de voo. Ele se declarou doente, porque era como se sentia.

O que se seguiu foi a crise espiritual conhecida como "a noite escura da alma". Com os guias instrutores sempre presentes, sua nova percepção continuou a se expandir, de volta ao passado, até o dia em que seu pai morreu, quando ele tinha 11 anos — o dia em que seu coração se fechou e ele decidiu pensar somente em si mesmo em vez de passar novamente pela dor de uma perda.

Ao perceber tudo isso, ele pediu ajuda: "O que devo fazer?", mas não ouviu nada. Na manhã seguinte, ainda sem trabalhar, Max saiu para dar uma volta de carro pela cidade e acabou na Transitions Bookplace, uma pequena livraria da Nova Era e de autoajuda. Até entrar naquela livraria e olhar em torno, ele nunca soubera da existência de livros de autoajuda. Para ele a palavra *espírito* significava apenas bebida alcoólica. Max estava fascinado, e passou três horas olhando livros. Então comprou dez volumes, alguns sobre a alma, alguns sobre propósito e direção e outros sobre meditação.

A viagem espiritual de Max começou no dia em que seus guias o levaram até o espelho para ver em que se transformara. Ele então foi dirigido para recursos que o ajudariam a levar uma vida mais autêntica, primeiro, na livraria e, depois, em aulas, workshops e sessões intuitivas com mentores e outros instrutores... e finalmente comigo.

O crescimento de sua alma foi lento, mas constante: seus instrutores o trouxeram para um grupo de voluntários que ajudavam crianças de países em desenvolvimento que precisavam desesperadamente de tratamento médico. Vezes sem conta Max conduziu essas crianças para os Estados Unidos, para serem tratadas. Também se sentiu realizado pelo fato de reduzir sua carga de trabalho a meio expediente para ter mais energia para o serviço voluntário. Ao ajudar crianças necessitadas ele abriu o coração e aprendeu a amar completamente e sem limites. Seus instrutores foram bons professores.

Max percebeu o propósito maior desses guias: nos ensinar a abrir o coração e ver o mundo e a nós mesmos com amor, reconhecendo que todos somos uma família com muitas cores. Se ferirmos alguém, ferimos a nós mesmos; se ajudarmos a alguém, ajudamos nós mesmos.

Aprendendo com os mestres

Além de receber dos guias instrutores do presente e do passado instruções para a alma, também nos conectamos com um ou no máximo dois mestres espirituais. Esse grupo é conhecido como os Mestres Ascendidos ou a Irmandade da Luz Branca, e ele trabalha conosco de forma pessoal ou impessoal para elevar nossas consciências. Os mais conhecidos caminharam sobre a Terra, como Jesus, sua mãe, Maria, Qwan Yin, Buda, Maomé, Wakan Tanka e Saint Germain, para citar apenas alguns.

Muitas pessoas, inclusive eu, sentem grande atração por um dos dois primeiros como seus mestres. Tenho uma cliente cuja ligação com Maria é tão forte que ela reza três rosários por dia para a mãe de Jesus. Essa cliente é a alma mais amorosa que já vi, tendo ao longo dos anos criado mais de 14 crianças e adotado mais oito. Ela acredita que recebe de Maria, a mãe de todos nós, a energia, a paciência e a fé infinitas para seguir esse caminho com tanta alegria.

Maurice, outro cliente, conversa sem parar com Jesus sobre tudo em sua vida, e eu compreendo tal devoção. Após ter sobrevivido a um incêndio doméstico em que perdeu toda a família e teve 40% do corpo queimado, ele diz que com Jesus aprendeu a perdoar e seguir adiante. Ele agora é professor de crianças com deficiência, e está em paz.

Vai começar a aula

Sabemos que entramos numa sala de aula de um guia instrutor se nosso coração se abranda e nos tornamos mais calmos e mais inclinados a ouvir do que a falar. Estamos sob a influência deles se desejamos ler mais sobre questões espirituais, somos chamados a participar de uma comunidade ou irmandade voltada para ajudar nosso crescimento ou procuramos instruções espirituais de forma direta. Estamos seguindo especialmente um guia instrutor se somos chamados a servir a humanidade de uma forma profunda e altruísta.

As lições são adaptadas ao que é indicado para a sua alma. Esses seres sabem, como deveríamos saber, que não somos todos iguais quando se trata de crescimento espiritual. O guia de alguém pode mandá-lo para uma igreja enquanto os guias de outra pessoa podem retirá-la da igreja e dirigi-la para um relacionamento mais pessoal com Deus e com o universo.

Os guias instrutores querem, principalmente, que saibamos que não há só uma maneira de se alinhar espiritualmente com a própria alma. Você precisa ouvir seu coração, seguir a orientação dele, estar disposto a ser você mesmo e levar uma vida calcada no amor e na aceitação de si mesmo, e não calcada no medo ou no desejo de agradar aos outros.

Nunca tenha medo de abusar dos seus guias instrutores. Você é a principal prioridade deles nas noites escuras e nas dificuldades. Quando você pedir, eles virão imediatamente.

Agora é sua vez

Num local tranquilo, peça gentilmente aos seus guias instrutores para se revelarem a você, solicitando, primeiro, a seu Eu Superior que abra seu coração enquanto você respira profundamente, de forma relaxante. Então pergunte: "O que devo aprender agora e como vocês podem me ajudar a fazer isso? De que estou fugindo? De que tenho medo?"

Ouça com calma, e se for capaz de responder em voz alta a essa pergunta, deixe seu coração falar enquanto seus guias o levam até a resposta.

Mais que qualquer outro espírito, seus instrutores têm padrões impecáveis de orientação. Eles não o segregam, elogiam ou lisonjeiam, embora trabalhem muito para criar uma experiência de aprendizagem positiva. Eles não o comparam a ninguém; limitam-se a dar sugestões, nunca ultimatos, mas exigem o máximo de você. Eles o trouxeram até este livro, não foi mesmo?

Os instrutores, como todos os guias, sabem exatamente de que você precisa. Eles o levarão passo a passo por uma suave curva de aprendizagem e ficarão com você enquanto for preciso. Apenas não esqueça: quando o estudante está pronto, os professores aparecem. Se você estiver pronto, eles também estarão.

CAPÍTULO 17

Os guias do reino animal

Alguns dos guias espirituais mais importantes e poderosos são os mais óbvios, mas que muitas vezes não são percebidos: os do reino animal. No passado remoto, éramos muito ligados ao mundo natural e consultávamos a sabedoria e o poder pessoal dos animais. Contudo, apesar de termos nos distanciado, essa conexão nunca se perdeu e diferentes criaturas estão continuamente se comunicando conosco, tanto no mundo físico quanto em nossos sonhos, na tentativa de falar à nossa alma e ao nosso espírito.

Os animais fazem parte do mundo dos instrutores. Alguns nos trazem sabedoria e habilidades de sobrevivência, enquanto outros nos mostram as artes do mimetismo e da adaptação, que podem ser muito úteis de vez em quando. Eles podem ser bem-humorados e brincalhões e nos ensinar como levar a vida com leveza e rir dos desafios. Muitos são conhecidos pela lealdade e capacidade de amar incondicionalmente, ou pelo desapego e pela solidez, mantendo-se fiéis a si mesmos em vez de querer agradar aos outros. Há aqueles que são detetives e aqueles que têm a capacidade de desaparecer. De uma forma ou de outra, todos eles têm qualidades espetaculares para despertar a alma, além da capacidade de falar conosco à sua própria maneira.

Os animais servem como guias espirituais de três formas: primeiro, eles simplesmente fazem parte de nossas vidas e se comunicam diretamente; segundo, aparecem em nossos sonhos, trazendo mensagens do plano astral; terceiro, oferecem seus espíritos como totens, ou portões de acesso ao poder e à energia que lhes são característicos, o que nos ajuda a realizar nossas metas.

Você pode começar a se conectar com os guias animais observando os espíritos dos animais presentes em sua vida. Comece por qualquer bicho de estimação que tenha ou tenha tido, e se concentre no que a essência dele traz ou costumava trazer a você como dádiva. Minha cadelinha Miss T, uma minipoodle preta, é uma alma maravilhosa, devotada e sensível, que faz muito para amar igualmente a todos os membros da minha família, sem impor condições. Uma das maneiras pelas quais ela consegue isso é dormir com cada um de nós alternadamente durante a noite. Ela começa a noite em meu quarto, depois vai para o quarto de Sabrina, por algumas horas, e em seguida vai para o quarto de minha outra filha, Sonia, até de manhã. Ela também se instala ao lado de cada um de nós por turnos: comigo, no escritório, quando dou consultas; embaixo da escrivaninha de cada uma das minhas filhas, enquanto elas fazem o dever de casa, às vezes indo e voltando de uma para outra; e, à tarde, no escritório de meu marido, Patrick. Quando ela está por perto, todos nos sentimos mais calmos e felizes.

Todos nós reconhecemos como Miss T é intuitiva e se comunica conosco, a qualquer hora do dia. Quando estou acordada, só de olhar para Miss T já sei se alguém não está bem. Nas raras ocasiões em que ela rosna para alguém sei imediatamente que alguma coisa está errada com aquela pessoa, e devo ficar atenta.

Uma vez, contratamos uma babá que tinha excelentes recomendações e era muito atraente, mas Miss T não ficou impressionada. Ela mal tolerava a nova moradora da casa e nunca a olhava nos olhos, informando-nos de que aquela pessoa não era de confiança. A babá havia trabalhado para nós apenas alguns dias quando recebemos um telefonema frenético do pai dela alegando que a filha havia fugido de casa e que ele a queria de volta. Nós *sentíamos* que alguma coisa estava errada, mas nossa cadela *sabia*, e nós mandamos a garota de volta para casa.

Miss T também é um espírito muito brincalhão: dança para nós, faz truques engraçados de cachorro e brinca de esconde-esconde quando estamos desanimados. Ela já ajudou Patrick a relaxar, me impediu de trabalhar demais e não deixou minhas filhas se sentirem assustadas ou solitárias. As dádivas dela são incontáveis.

Há alguns anos, senti que aquele espírito gentil não estava bem, mas não pensei que se tratasse de alguma coisa anormal. Quando sonhei, ela me informou que estava doente e precisava de um médico. Portanto, na manhã seguinte pedi a Patrick para levá-la a uma clínica, mas o veterinário não encontrou nada errado. Na noite seguinte, ela se sentou no pé da cama de Sonia e comunicou à minha filha que precisava de ajuda. Sonia abriu-lhe a boca e removeu um fragmento de osso de galinha alojado no fundo da garganta. Miss T poderia ter morrido, mas voltou ao normal assim que o osso foi retirado.

Os gatos também são professores maravilhosos e se comunicam com nossas almas. Eu nunca tive um gato porque tenho alergia, mas meu irmão Anthony teve dois gatos malhados, Summer e Winter Girl, que lhe deram estabilidade e o divertiram durante um período de muito desgaste emocional para ele por doença e estresse. As brincadeiras dos gatos e sua presença calmante mantiveram o coração do meu irmão aberto e feliz quando ele poderia perfeitamente ter se fechado. Anthony afirma o tempo todo que de muitas maneiras eles eram agentes de cura.

Os pássaros são outro tipo de criatura que fala conosco, e meu cliente Marion se apoia neles em busca de orientação. Ele estava para começar uma sociedade com um cunhado em um negócio novo que envolvia abrir cinemas quando, por duas noites seguidas, avistou uma coruja no quintal. Sabendo que essas aves são predadoras de atividade noturna, ele sentiu que aquilo era um sinal que confirmava sua suspeita de que o cunhado seria dissimulado e agressivo. Agradecendo à coruja pelo aviso, Marion desistiu da sociedade. Assim que ele tomou essa decisão, a ave desapareceu.

Decepcionado, o cunhado encontrou outro colaborador. Depois de algum tempo, os sócios começaram a brigar sobre questões de propriedade e revelou-se que as duas partes tinham manipulado a contabilidade. Os cinemas foram fechados, e processos foram abertos. No entanto, o relacionamento pessoal de meu cliente com o cunhado permaneceu intacto, graças à coruja.

Ao longo dos anos, os pássaros também já me falaram de maneira muito direta, confirmando meu caminho e orientando meu espírito. Há alguns anos os pais de Patrick sofreram um terrível acidente, e pouco tempo depois corvos negros subitamente encheram as árvores em frente à nossa casa e começaram a crocitar, como se trouxessem uma mensagem. Eu sempre achei que corvos representassem poder e mágica, portanto, soube que sua presença era importante.

Durante dez minutos os corvos crocitaram a toda altura, e depois voaram para longe. Eu sabia que eles estavam me dizendo que meus sogros ficariam bem e que eu não precisava me preocupar. É claro que não falo a linguagem daqueles pássaros, mas em meu coração e minha alma tive certeza de ter sido esse o motivo de sua presença. Com a sabedoria deles respaldando minha opinião, garanti a Patrick que os pais dele se recuperariam totalmente, embora o prognóstico fosse pouco otimista. Eles se recuperaram e, até hoje, agradeço àquelas aves por me tranquilizarem no momento em que a recuperação deles parecia improvável.

Em outra ocasião me pediram para escrever uma autobiografia, e eu estava cheia de dúvidas sobre a questão. Isso aconteceu quando eu me encontrava com meu marido e minhas filhas passando férias na França, visitando a família com quem morei há muitos anos, quando era uma jovem estudante participando de um programa de intercâmbio. Sem saber se a história de minha vida poderia ser útil a alguém, pedi a meus guias que me dessem um sinal claro, e fui dormir.

Às cinco horas da manhã acordei de repente como quem é despertado por uma força maior e olhei pela vidraça. Voando em minha direção vinha uma bela pomba branca — que entrou pela janela do quarto e bateu diretamente em minha cabeça! Tendo aprendido com meus professores que os pássaros são mensageiros da alma, esse sinal assustador me garantiu que escrever o livro era algo que eu devia fazer, se não para os outros, pelo menos para minha própria alma.

A pobre pomba perdeu a direção por um momento e aterrissou atordoada no canto do quarto, mas se recuperou depois de alguns momentos e saiu pela janela em direção ao sol nascente. Escrevi o livro, e não sei se foi bom para os outros, mas certamente foi bom para *minha* alma.

Meu sobrinho Jacob me contou a seguinte história interessante sobre pássaros: sentindo-se triste e com saudade do pai no primeiro aniversário da morte dele, Jacob decidiu fazer uma caminhada por uma praia deserta de Michigan, perto de casa. Enquanto caminhava, uma magnífica águia-calva, a primeira que ele via naquele estado, pareceu sair do nada e planou sobre ele. Jacob então olhou para baixo e viu uma rosa congelada, presa no gelo. Os dois acontecimentos o abalaram e confortaram de uma forma estranha: ele teve certeza de que a águia era um mensageiro.

Esse tipo de ave apareceu em outra ocasião, quando minha querida amiga Julia Cameron estava em dúvida se devia mudar-se para um novo apartamento em Nova York, mais perto do centro da cidade e mais distante de Riverside Drive, onde vivia. Julia temia que a mudança a afastasse dos gramados e das árvores que ela tanto amava. Mesmo assim, decidiu seguir adiante com o projeto, e no dia da mudança viu uma bela águia pousada na escada de incêndio em frente à janela do novo apartamento, dando-lhe boas-vindas. Várias pessoas também viram a ave, que ficou lá durante todo o dia, como se dissesse a Julia que o apartamento seria muito bom para ela, o que realmente aconteceu. Depois que se mudou para lá, ela escreveu alguns de seus melhores trabalhos.

Se prestarmos atenção às suas lições, os animais nos instruirão o tempo todo. Minha irmã Cuky, a mais velha de sete irmãos e a cuidadora de todos nós, estava começando uma carreira como terapeuta. Ela também era muito insegura no que se refere ao reino animal, e sabia que isso a atrapalhava. Embora adorasse os próprios gatos, ela sempre evitava comungar com a natureza e nunca havia acampado. Querendo enfrentar os próprios medos e se transformar numa curandeira de almas, Cuky viajou até as ruínas de Anasaki, no Novo México, com Debra Grace, sua melhor amiga e aprendiz de xamanismo.

Enquanto caminhavam pela floresta, os animais surgiam, um de cada vez, espiando-as de dentro dos arbustos. Um deles em particular, um frenético esquilo vermelho, viu minha irmã e saltou diretamente na direção dela. O animal corria tão depressa que Cuky ficou certa de que ele iria se chocar com ela antes que pudesse evitar. Com tanto medo que não conseguia sequer gritar, minha irmã ficou paralisada e sussurrou: "Ele está vindo para cima de mim. Ele está vindo diretamente para cima de mim!"

Debra concordou:

— Meu Deus, está mesmo!

Sem saber o que fazer, as duas ficaram paradas enquanto o esquilo corria para elas. De repente ele parou, a alguns centímetros do rosto de Cuky, e sorriu para ela. Ele ficou nessa posição durante dez segundos, e depois deu meia-volta e foi embora tão depressa quanto viera. Foi tão engraçado e surpreendente que as duas morreram de rir. A criaturinha era graciosa demais para causar medo, e minha irmã entendeu que ela lhe trouxera um presente: quando olhou literalmente nos olhos de Cuky o esquilo deu-lhe a ajuda de que ela precisava para superar o medo da natureza.

Um ano depois, Cuky foi para o Havaí, onde acampou numa tenda durante um mês inteiro e viveu dos recursos da terra enquanto aprendia com um mestre nativo a arte milenar da cura pela massagem havaiana lomilomi, o que nunca poderia ter feito antes daquela viagem ao Novo México.

No entanto, os guias animais nem sempre são fofinhos assim. Há vários anos, durante um retiro de meditação nas montanhas da Califórnia, Patrick decidiu fazer uma caminhada. Enquanto caminhava, ele entendeu que o medo controlava sua vida. Mal acabou de ter esse pensamento, um pit bull feroz e ameaçador surgiu do nada, rangendo os dentes e rosnando para Patrick, pronto para atacar. Sem ter com que se defender e com um terror evidente que fazia dele uma presa fácil para o animal, Patrick subitamente se lembrou de sua capacidade de meditar e acalmou o medo por meio de respiração e de pensamentos de paz.

No momento em que relaxou (ou pelo menos tentou relaxar), o animal parou de rosnar, virou as costas e correu para o dono, que também surgiu do nada. Essa fera agressiva ajudou meu marido a enfrentar o medo e decidir controlar o sentimento, em vez de ser controlado por ele. Assim que fez isso, o cachorro bateu em retirada, e Patrick voltou para o quarto em segurança.

Esses são apenas alguns exemplos de como os guias animais podem associar-se intimamente conosco e como eles aparecem para nos ensinar mais sobre nosso espírito. Assim que você começar a perceber esses encontros diretos, sua mente se abrirá para as maneiras mais amplas pelas quais esses seres nos orientam sobre nossa vida — e para isso nem precisam estar vivos!

Certa vez eu pedalava pela orla do lago em Chicago e quase passei por cima de um grande rato esmagado. Tentando evitá-lo, eu soube que esse sinal perturbador tinha uma mensagem específica e oportuna para mim. Dois pensamentos me vieram à mente: (1) os ratos são desagradáveis e (2) eles vivem no meu ambiente. Somando os indícios e as provas, senti que o espírito do rato morto me avisava da minha comunidade indesejável, e do mal que ela poderia me causar se eu não tivesse cuidado. Quanto mais pensava na questão, mais eu era obrigada a reconhecer que naquele momento estava associada com diversos indivíduos que não comungavam de meus valores e minha ética, e que, de certa forma, eram como ratos. O roedor em meu caminho era uma mensagem de que eu devia me afastar daquelas pessoas antes de alguma coisa acabar mal (como aconteceu com o animal), o que realmente fiz.

Alguns meses depois, fiquei sabendo que um daqueles "ratos" desagradáveis roubou dinheiro e cartões de crédito de um amigo comum e saiu da cidade para evitar ser processado. Esse era na verdade um final infeliz, porém, graças ao aviso do rato morto na estrada, fui poupada de uma situação semelhante.

Como essa experiência me mostrou, todos os animais são instrutores e trazem mensagens de cura se prestarmos atenção. Há muitos outros exemplos, mais pacíficos: olhar muitos peixes num aquário ou mesmo um único peixe nadando num aquário redondo nos transmite um profundo sentimento de bem-estar enquanto eles planam suavemente pela água. As tartarugas nos trazem um sentimento de proteção, pois ensinam como podemos nos retirar do mundo para dentro do próprio ser sempre que nos sentimos sob pressão e assoberbados. Quando observamos os hamsters brincando com as rodas e dormindo juntos nas gaiolas, aprendemos a cooperar e nos divertir.

Quando se conectar com os guias animais, observe como diferentes criaturas se comunicam em seus sonhos, porque, quando elas aparecem, seus espíritos trazem algo importante para você. Muitas vezes eles se apresentam no papel de totens para lhe dar a energia de que você precisa. Meu cliente Tom teve um sonho muito vívido em que montava um belo cavalo branco, cavalgando-o durante toda a noite, e acordou mais revigorado do que nunca. O sonho causou um impacto tão grande que Tom soube que o animal foi visitá-lo por alguma razão.

Você sabia que os guias animais...

... são alguns dos guias espirituais mais poderosos?

... nos dotam das qualidades necessárias para melhorar a vida e ativar a criatividade e a intuição?

... ajudam a devolver as partes da alma que foram perdidas e nos reconectam com o mundo natural?

Ao pensar sobre essa experiência, ele se lembrou de como se sentiu poderoso durante o sonho — sentimento que não tinha quando acordado. O espírito do cavalo veio trazer-lhe poder. Aceitando o presente, Tom reuniu essa energia e pediu demissão de um emprego sem perspectiva, encerrou um relacionamento que não o levava a lugar nenhum e partiu para a Califórnia, o que desejava fazer havia muito tempo. Depois desse sonho, ele tomou essas decisões difíceis e deu novo impulso à própria vida.

Se sua vida estiver estagnada ou necessitada de cura, você pode pedir a ajuda de um espírito animal que venha mudar sua vibração e aumentar sua energia. Apenas lembre-se de que quando esses guias são invocados por você é o espírito animal que o escolhe, e não o contrário.

Este capítulo é apenas uma introdução ao conhecimento sobre esses seres maravilhosos. Existem muitos livros fantásticos que ensinam a trabalhar especificamente com guias animais, se você quiser saber mais sobre eles. Por enquanto, faça-se acessível a todas as criaturas — as que fazem parte de sua vida, as que cruzam seu caminho, as que surgem em sonhos e os guias animais que lhe servem de totem. Eles devem ser amados, respeitados e valorizados profundamente pela ajuda e pelo serviço que prestam às nossas almas. Se você permitir, eles o servirão bem.

Agora é sua vez

Você tem um animal de estimação ou tem perto de si outros animais? Comece a se conectar com esses guias, apreciando o espírito sem igual de seu animal de estimação ou de qualquer criatura com quem tenha contato regularmente.

Como você descreveria o espírito deles? Que lições pode aprender com eles? Que mensagem ou cura recebe deles? Deixe falar seu coração, e não sua cabeça. Confie no que sente e não censure suas emoções.

Em seguida, comece a reconhecer as ocasiões em que animais aparecem em sua vida de outras maneiras. Por exemplo, você observou algum pássaro recentemente? E algum gamo ou cavalo?

Pense se algum tipo de animal aparece em seu caminho de forma recorrente. Talvez você encontre gaviões, coelhos ou outros animais selvagens. Pergunte a seu espírito o que esses seres podem estar tentando dizer e lembre-se de acreditar em seus sentimentos.

Para se beneficiar mais das dádivas dos guias animais deixe um diário ao lado de sua cama e anote as visitas de animais ou pássaros em seus sonhos. Pelo menos conte a alguém (de confiança, é claro) essas experiências porque, quando uma criatura chama sua atenção, ela está trazendo uma mensagem espiritual para você.

Se quiser tomar a iniciativa e entrar em contato com seu animal totêmico, você precisará usar sua imaginação. Eis como:

1. Relaxe num lugar confortável, onde não seja interrompido.

2. Imagine que está entrando numa caverna ou em uma velha árvore oca e saindo num ambiente natural como um prado ou campo.

3. Vivencie a paz e o poder da natureza naquele local.

4. Peça a seu guia animal para aparecer nesse belo espaço e falar com você. Confie no animal que aparecer e na forma de comunicação que ele escolher. Você pode senti-lo, ouvi-lo, vê-lo ou simplesmente saber em seu coração que ele está presente.

5. Uma vez conectado com o seu guia, use a imaginação e volte pelo campo ou prado até a caverna ou a árvore e entre na realidade presente. Espere um momento até se sentir estabilizado e abra lentamente os olhos.

6. Uma vez tendo conhecido seu guia animal, estude-o para saber o máximo sobre ele. Existem muitos livros sobre espíritos animais, inclusive os de Ted Andrews.

7. Depois de fazer a conexão, agradeça ao animal e peça-lhe para mandar um sinal de que é realmente seu guia espiritual. A indicação pode aparecer de muitas formas: você pode vê-lo num cartão, numa imagem, numa revista ou na TV. Você pode até mesmo observar uma versão viva daquele animal. Tenha paciência e ele irá aparecer. Peça vários sinais de confirmação para ter certeza absoluta de que aquele é seu animal totêmico. Seu guia não se importa de mandar mais provas.

8. Esteja atento todos os dias para a presença do seu espírito animal em sua vida e use as energias específicas dele para obter amparo e instruções. Preste atenção a todas as expressões de seus pontos fortes, e não se esqueça de agradecer a ajuda do seu guia animal.

CAPÍTULO 18

Os guias da alegria

Um dos grupos de guias que mais amo é o dos guias da alegria. Esses são os espíritos infantis do universo, e seu papel é manter viva e saudável nossa criança interior. Alguns são crianças que viveram e morreram quando ainda eram muito pequenas, mas é mais comum que nunca tenham assumido a forma humana. Eles têm uma vibração alta, luminosa e feliz; estão muito perto da natureza e trabalham para evitar que nos levemos muito a sério ou supervalorizemos o drama da vida humana. Eles nos impedem de mergulhar na infelicidade.

Os guias da alegria aparecem quando menos esperamos, geralmente quando nossos egos se sentem tão encharcados pelo sofrimento causado pela autoimportância que perdemos toda a perspectiva e ficamos isolados. Com isso não quero dizer que toda dor seja criada por nós mesmos. Há ocasiões em que enfrentamos verdadeiros desafios e perdas dolorosas, e nossos anjos e guias de cura aparecem para nos ajudar a atravessar essa fase. No entanto, mesmo nessas ocasiões esses espíritos maravilhosos aparecem para nos distrair da dor com suas brincadeiras; quando fazem isso, ficamos muito gratos por sua presença.

No entanto, eles preferem aparecer quando nossos egos se apoderam de nós e acabamos perdendo a forma, quando trabalhamos demais e nos recusamos a levar uma vida equilibrada. Os guias da alegria têm horror à obsessão pelo trabalho e são o antídoto desse vício desagradável. Em geral, quando eles aparecem e nos interrompem, nossa reação é de irritação. Seu método favorito é fazer seus filhos se aproximarem querendo conversar, brincar e rir. Às vezes isso funciona, mas se você afastá-los ou não tiver filhos, os guias usam seu animal de estimação para obrigá-lo a fazer uma pausa.

Minha amiga Julia Cameron me disse que quando está muito afogada em trabalho e absorta a ponto de perder o senso de humor, Charlotte, sua cadelinha terrier, traz um chocalho e insiste num jogo de pegar. Minha cadela Miss T faz o mesmo por mim. Nossos amigos peludos são emissários frequentes dos guias da alegria. Você já percebeu quantos figurões importantes de Hollywood, enterrados sob o peso da fama, carregam consigo seus lindos cachorrinhos? Chihuahuas, malteses, qualquer um deles está numa missão de Deus para aliviar esses atores do jugo de seus egos.

Se você não tiver um animal de estimação, os guias da alegria descobrirão outras maneiras de chamar sua atenção. Eles podem fazer o telefone tocar sem ninguém falar do outro lado ou a campainha tocar e não haver ninguém à porta.

Para esses guias é especialmente agradável nos fazer rir da tolice de nossos egos. Com frequência, ficamos incomodados pelo assalto à nossa empáfia: os truques do cachorrinho, a risada do bebê, o vozerio alegre da criança. Mas os guias da alegria são implacáveis; quanto mais resistimos, mais eles nos provocam. Você pode sair do sério e tentar mandá-los para o inferno junto com seus adoráveis ajudantes, mas se você fizer isso se sentirá uma criatura detestável e ingrata. Eles estão aqui para nos aliviar de nossos egos, e não para combatê-los. Se você simplesmente parar de reagir e achar graça, ficará equilibrado e escapará do canto onde se enfiou.

Nunca sabemos quando os guias da alegria irão aparecer, o que está de acordo com a missão deles. Como são cômicos espontâneos e infantis, eles adoram um elemento surpresa.

Recentemente, uma cliente me contou uma história engraçada sobre esses espíritos. Ela e o marido sofriam com o casamento infeliz, e cada um gastava muita energia tentando controlar o outro; eles brigavam a maior parte do tempo, não concordavam em nada, discutiam o tempo todo e passavam horas distanciados, cada um reclamando do comportamento irritante do outro. Um dia a coisa ficou tão feia que os dois decidiram que aquilo tinha de acabar: eles precisavam se divorciar.

Tendo finalmente concordado em alguma coisa, começaram a discutir calmamente (de acordo com os próprios padrões) como pretendiam ir cada um para seu lado. Enquanto falavam, uma mosca voava entre eles. O marido falava num tom de absoluta seriedade sobre sua necessidade de ser livre, e o inseto pousou em seu nariz. Quando ele começou a abanar freneticamente a mão, a mulher passou a rir da atitude ridícula do marido.

A situação era tão absurda que ele também teve de dar um sorriso. E quando retomou a postura séria, a mosca voltou e pousou entre os olhos dele. Recusando-se dessa vez a reconhecer a presença da mosca, ele continuou a falar, enquanto o inseto passeava por sua testa. Novamente, a mulher deu gargalhadas e, em reação, o marido deu um tapa na própria testa com tanta força que minha cliente perdeu todo o controle. Ele mesmo estava fazendo o que ela queria fazer!

Então, foi a vez de a esposa falar dos próprios ressentimentos, mas quando ela abriu a lista de roupa suja com todas as transgressões dele, a mosca pousou no rosto dela. Imediatamente, ela ficou enlouquecida tentando espantar o inseto, só para vê-lo pousar novamente em seu rosto. O marido, é claro, morreu de rir. Nesse momento, o ridículo da situação se tornou tão contagioso que ela não conseguiu evitar as risadas. O riso deles se intensificou até as lágrimas rolarem pelo rosto dos dois. Eles não se divertiam tanto desde que começaram a namorar.

Logo os dois estavam recordando as situações divertidas que haviam compartilhado, e passaram várias horas rememorando os bons momentos. Por fim, o marido disse: "Desculpe. Eu não quero o divórcio. Só sinto falta de me divertir com você." Ela sentia a mesma coisa, portanto, eles decidiram por um armistício e dar uma nova chance ao casamento.

O casamento deles vai dar certo? Não sei, mas, com os guias da alegria presentes, pelo menos existe essa possibilidade.

Você sabia que os guias da alegria...

... abençoam nossas vidas de modo que o coração se suaviza à medida que a criança interior encontra satisfação?

... nos ajudam a começar a agir como adultos carinhosos — bem-humorados, generosos e mais tolerantes com os outros?

Os guias da alegria têm um único propósito: fazer-nos crescer e lembrar que a vida é maravilhosa. Eles se conectam especialmente com bebês e crianças pequenas, distraindo-os com maluquices que os pequeninos costumam imitar. Se você alguma vez ouviu um bebê rindo sozinho e se divertindo no berço, esteja certo de que o quarto está cheio desses guias.

Quando era muito pequena, minha filha Sonia tinha uma grande conexão com esses seres e, com a ajuda deles, encontravam mil maneiras de me distrair. Ela foi especialmente boa nisso quando eu estava esperando minha segunda filha, época em que me sentia exausta e assoberbada. Com apenas 7 ou 8 meses, ela costumava ver os guias da alegria e rir com eles, sabendo muito bem que me faria rir também. Dezenas de vezes eu estive pronta para me sentar e ter uma sessão de autopiedade, e então Sonia começava a gargalhar e fazer caras tão engraçadas que eu não conseguia ficar deprimida. Graças a ela, eu sentia os espíritos dançando à nossa volta, e nós duas ríamos tanto que todas as minhas preocupações desapareciam.

O riso, principalmente o riso do tipo bobo e contagioso, é cartão de visitas dos guias da alegria. Se alguma vez você quiser encontrá-los em abundância, vá a lugares de interesse de crianças e animais de estimação. Mas lembre-se de que esses guias não se concentram apenas nas crianças e nos animais. Como mencionei, eles também ajudam a melhorar o humor dos adultos sérios demais e aliviam a sobrecarga de estresse, principalmente em reuniões solenes em que a dor e a tristeza são intoleráveis. É por essa razão que costumamos encontrá-los em velórios e funerais.

Certa vez fui ao funeral da mãe de uma amiga. A falecida era uma mulher jovial e comunicativa que insistia em dizer sempre a última palavra. Sua morte súbita, causada por um enfarte, deixou a família e os amigos consternados. No meio do discurso fúnebre do padre um telefone celular tocou, mas ninguém teve coragem de assumir a propriedade dele. O padre percorreu a congregação com os olhos, procurando sem sucesso localizar o culpado, portanto, quando o toque do telefone cessou, ele continuou o elogio fúnebre.

Momentos depois, outro telefone tocou, num outro lugar da igreja. Mais uma vez ninguém se moveu para silenciá-lo. O padre, novamente interrompido e bastante irritado, esperou que o ruído terminasse e voltou a falar, com um ar de reprovação.

Então, *mais um* telefone se fez ouvir. Dessa vez, o padre perdeu toda a paciência e comentou:

— Pelo amor de Deus, o que está acontecendo com todos esses celulares?

Emily, a neta de 4 anos da falecida, levantou a mão e gritou:

— Eu sei! Acho que vovó está telefonando do céu para reclamar porque você esqueceu de dizer que ela gostava de sorvete de chocolate.

Todo mundo caiu na gargalhada, inclusive o austero padre. A dor foi aliviada, e o discurso fúnebre mudou de teor, de pesar pela perda para recordações de todos os momentos maravilhosos que a avó havia proporcionado à família. Essa foi, claramente, uma visita dos guias da alegria, os brincalhões e comediantes do universo.

Como autênticos brincalhões, eles adoram esconder objetos, às vezes bem à vista de todos. Alguma vez você perdeu a chave do carro a caminho da porta, o passaporte justamente na hora de embarcar num voo internacional ou os ingressos na hora de sair para o teatro? Alucinado, você acaba por encontrar o objeto perdido num canto do bolso ou até mesmo na própria mão fechada. Isso é obra dos guias da alegria, para lhe dizer que relaxe e perceba que tudo vai dar certo. Eles não são mal-intencionados nem maldosos; estão apenas brincando com você para fazê-lo levar as coisas com leveza.

Eles também adoram esconder joias, sapatos, a carteira de dinheiro, a bolsa, o relatório em que você esteve trabalhando, os livros da biblioteca, seu traje de banho e seu telefone celular — qualquer coisa para nos fazer sair do piloto automático e voltar para o momento presente. Se ouvir com atenção, nesses momentos poderá escutar as risadinhas deles enquanto você corre para todo lado como uma barata tonta.

Você pode se poupar de estresse e perda de tempo: basta reconhecer a presença desses guias e aceitar a brincadeira. Diga: "Certo, entendi. Preciso relaxar. Obrigado por me lembrar." Se fizer isso, o objeto perdido, magicamente, reaparecerá. Sendo eternas crianças, eles gostam de brincar de esconde-esconde com os batedores. Eles escondem os objetos e os batedores os encontram. Limite-se a curtir a brincadeira.

Além de evitar que levemos a vida muito a sério, esses espíritos também nos conectam com o que nos traz felicidade. Eles nos empurram para dentro de lojas de material de desenho e pintura, de brinquedos ou de música; para uma aula de dança ou de interpretação; para um show de percussão; para uma agência de viagens e para a viagem que você esteve adiando.

Eles são a voz em sua cabeça que diz que está certo se permitir algum prazer, como um sábado para brincar com as crianças ou para brincar como se você fosse uma criança travessa, uma saída com os amigos para tomar café e conversar, uma pausa para um jogo de tabuleiro com a família em vez de se sentar e ver televisão em silêncio. Eles nos lembram de fazer aquele passeio de bicicleta ou aquela aula de artesanato, ou, ainda, de relaxar e ler um bom livro sem culpa.

Comece a apreciar a presença dos guias da alegria ao seu redor. Abra os olhos, os ouvidos e o coração para eles. Como meu instrutor Charlie costumava aconselhar: "Saia de dentro de si e entre em seu espírito"; em vez de prestar atenção ao que está errado, como propõe seu ego, preste atenção ao que está *certo*, como seu espírito revela.

Alimente sua criança interior com prazeres criativos e divertidos, e esses guias virão dançar ao seu redor. Eles adoram nos ajudar trazendo presentes. Minha mãe gostava de lhes dar tarefas pedindo-lhes presentes (e pedindo aos filhos para pedir também). Quando estávamos saindo para a escola pela manhã, ela nos lembrava de pedir presentes e esperar por eles. Segundo ela: "Nunca se sabe quando eles vão aparecer."

Eu seguia as instruções dela naquele tempo e faço o mesmo ainda hoje. Quando acordo, digo esta pequena prece: "Mãe Divina, Pai Divino, Deus, agradeço por sua presença em minha vida. Guias da alegria, agradeço pelos presentes que receberei hoje. Obrigada."

Adoro brincar com eles e deixar que me tragam muitos presentes. Uma vez, quando visitava minha irmã no Kansas, seguimos o conselho de minha mãe e fomos almoçar, contando receber presentes.

Tivemos de esperar um tempo excepcionalmente longo para conseguir um lugar no restaurante que havíamos escolhido, mas estávamos tão envolvidas na conversa que nem percebemos a passagem do tempo. Finalmente, a gerente percebeu, pediu desculpas e deu a cada uma de nós um vale para jantar de graça!

Felizes com a nossa sorte, entramos numa loja de roupas femininas ao lado do restaurante. Minha irmã encontrou uma bela calça comprida que ficou perfeita, mas estava um pouco suja — nada que uma lavagem a seco não pudesse resolver. Ela mostrou a peça ao dono da loja; ele pediu desculpas e propôs:

— Se você comprar outra coisa, eu lhe darei essa calça. Estamos no final da estação, e não vale a pena gastar dinheiro para lavá-la.

Minha irmã escolheu uma blusa e saiu da loja com um traje completo.

Do lado de fora, encontramos dois adolescentes lavando o carro. Quando perguntamos o que estavam fazendo, eles disseram que aquele era o dia do trabalho comunitário. Nós nos oferecemos para pagar, mas eles recusaram o dinheiro. Rimos e cantamos durante todo o percurso para casa — obrigada, guias da alegria!

Agora é sua vez

Chame seus guias da alegria diariamente. Dê nomes a eles. Divirta-se com seus truques. Peça-lhes presentes e ajude-os a ajudá-lo, lembrando que nada vale a perda do bom humor. Se não souber que tipo de presente deseja receber, apenas peça "uma surpresa". Eles farão isso. Eles são a ponte para o céu.

CAPÍTULO 19

Os seres luminosos

Em abril passado eu estava em Kauai com meu grupo de guias de cura e auxiliares aplicando o Translucent You, meu workshop intensivo de seis dias, criado para curar os clientes num nível anímico profundo, quando uma nova fonte de orientação muito poderosa entrou em contato. Comecei por perceber essa força espiritual intensa na tarde do terceiro dia, quando me reuni com o grupo de trinta participantes para uma meditação vespertina.

Relaxando com a linda música criada por meu amigo Mark Welch, orientei a classe a fechar os olhos suavemente e concentrar a atenção nos movimentos respiratórios do corpo. Momentos depois perdi toda a percepção do grupo quando subitamente vi com os olhos da mente o que parecia ser um exército de seres altos, azuis e cilíndricos que se aproximavam de mim com os braços abertos e uma quantidade imensa de amor. A vibração deles era tão elevada que fiquei totalmente absorvida por sua poderosa energia curativa.

Aos poucos senti minha cabeça se inclinar para trás e minha percepção do ego se afastar quando essa multidão de Seres Luminosos aproximou-se e entrou em meu corpo para falar ao grupo por meio do processo conhecido como canalização. Eu estava consciente, mas me sentia muito longe de meu ser físico, como se estivesse observando-o de um ponto muito distante, tão fascinada pelo que acontecia quanto todos os outros.

As criaturas se apresentaram como os Emissários do Terceiro Raio e respeitosamente pediram permissão para falar ao grupo. Sem saber bem o que estava acontecendo, mas sentindo a mesma vibração intensa de amor que eu sentia ser irradiada através de mim, o grupo concordou.

Então, os Seres Luminosos deram início a uma mensagem clara e urgente. Por meu intermédio, eles começaram por nos dizer como todos éramos amados e preciosos, mas como precisávamos mudar nossa vibração do medo para o amor se quiséssemos sobreviver como indivíduos e como raça humana. Com grande compaixão, os Emissários disseram que estavam se conectando por meu intermédio (e comigo) para oferecer assistência, ajudando-nos a concretizar essa transformação. Enquanto falavam, me usando como canal, minha voz assumiu um tom e uma cadência inteiramente diferentes dos meus. Era estranho, mas não era incômodo.

Fiquei assombrada com o poder da vibração deles como era percebida por meu ser. Sua luz e seu amor eram tão grandes que eram sentidas como 10 mil watts de energia passando por um circuito de duzentos watts, ameaçando estraçalhar-me a qualquer momento. O incrível é que, em vez disso, meu coração se abriu como eu nunca havia sentido. Senti-me inebriada por estar tão envolvida nessa onda de amor. Todas as células do meu corpo estavam cheias de energia e renovadas; as dores e a rigidez deram lugar à paz e à calma absolutas. Todas as preocupações e ansiedades de minha história foram trocadas por um bem-estar perfeito. Com a assistência desses Seres Luminosos cheios de amor, senti-me em unidade com o universo e com Deus.

Eles só falaram por alguns momentos, mas o importante não era o que diziam. Eles emitiam uma vibração de cura tão intensa que as palavras não conseguem comunicar sua mensagem; mais tarde descobri que todos os presentes sentiram o mesmo. Ao transmitir essa poderosa vibração de amor, os Emissários do Terceiro Raio expandiram nossos chakras cardíacos muito mais do que qualquer um de nós julgava possível. Recebemos a mensagem porque a sentimos.

Depois de canalizar por meu intermédio durante vários minutos, eles agradeceram a nossa atenção e afirmaram que, para sentir sua presença novamente, só precisaríamos abrir os corações e deixá-lo fluir através de nossas mãos; e se afastaram. Então, lentamente voltei à minha consciência habitual.

Eu já havia canalizado guias antes, deixando que eles falassem através de mim, principalmente os Três Bispos, meus guias instrutores, mas nunca antes cheguei a um estado alterado de consciência tão profundo nem me senti tão afetada fisicamente.

Depois que eles se foram, todos nos sentamos em um silêncio maravilhado. Todos sentíamos a mudança nas energias e a sensação emocionante de estar livres de medo. Essa vibração de poder total e amoroso era tão radicalmente diferente da frequência da consciência a que estávamos habituados que ficamos mudos. Não havia necessidade de dizer nada... estávamos em bem-aventurança.

Meu primeiro contato com esses Emissários foi muito emocionante. Nos cinco anos anteriores senti que eles tentavam chegar a mim, mas minha vibração não estava suficientemente aberta e estabilizada para que eles se conectassem. Eu me perguntava se seria capaz de renovar o contato, e o restante do grupo tinha a mesma dúvida.

No dia seguinte, na sessão de meditação da tarde, os Emissários do Terceiro Raio voltaram. Quando a incrível vibração de alta frequência dos Emissários me encheu de luz e afeto, quase caí. Dessa vez, um porta-voz se destacou daquele exército azul de amor e se apresentou como Joachim.

Ele nos cumprimentou com o mesmo respeito e a afeição demonstrada anteriormente pelos Emissários e pediu para nos falar.

A permissão foi concedida com entusiasmo, e por meu intermédio Joachim começou a passar o que mais uma vez foi chamado de mensagem urgente. Falando devagar, de forma deliberada e com uma tremenda intenção, ele nos disse que a raça humana não vai sobreviver se não mudarmos nossa consciência fundamental para além do mero ato de sobreviver com um mínimo esforço. Ele disse que o planeta não será capaz de suportar os níveis de medo que estamos criando, e que um grande número de pessoas consumidas pelo terror precisará deixar a Terra para que ela recupere o equilíbrio.

Ele informou ainda que isso não precisará acontecer se todos deixarem de centrar a energia de sobrevivência no medo, trocando-o por amor e generosidade. As pessoas não só estarão totalmente protegidas e seguras nesse momento de mudança, mas também serão progenitoras de uma nova raça de seres mais elevados. Enquanto ele falava, eu tornei a sentir uma paz e uma tranquilidade profundas, como no dia anterior, e o grupo sentiu o mesmo.

Usando meu corpo e minha mão, Joachim então demonstrou como gerar essa poderosa energia do chakra cardíaco. Ele pediu que todos os presentes abrissem os corações e estendessem as mãos para a frente, desejando transmitir uma vibração de amor através do corpo e para o mundo. Joachim nos garantiu que dessa forma poderíamos criar e atrair o que desejássemos.

Sentindo uma vibração potente percorrer todo o meu ser quando segui essas instruções (mais tarde descobri que outros sentiram o mesmo), entendi como o que ele dizia podia ser verdadeiro. Esse fluxo irrestrito de carinho que os Emissários do Terceiro Raio estavam nos ajudando a canalizar para o mundo era tão convincente e pacífico que minha intuição me disse que aquela era a mesma vibração usada por Cristo para curar. Se a utilizássemos totalmente e ficássemos familiarizados com ela, nós também poderíamos realizar milagres.

Joachim disse que os Emissários tinham vindo nos ajudar a manifestar o milagre do amor irrestrito, desesperadamente necessário ao mundo neste momento. Então ele e os outros Seres Luminosos nos dirigiram numa meditação para abrir o coração que nos deixou num estado alterado de consciência durante horas. Eles nos disseram que acalmar a mente e abrir o coração era o advento de um novo tipo de seres humanos e que eles estavam aqui para nos mostrar como plantar essas sementes.

Com uma bênção final, Joachim se retirou, porém, antes, garantiu que os Emissários do Terceiro Raio e muitos outros exércitos de Seres Luminosos estão à disposição de qualquer pessoa que queira se livrar do medo e mudar a vibração no sentido do amor.

Joachim e os Emissários passaram a estar fortemente ligados a mim desde então. Eles me disseram que meu espírito concordou em ser uma das parteiras de um novo tipo de ser humano que está emergindo, com raízes no amor, e não no medo. Minha missão é ajudar as pessoas a ativar e expandir o chakra cardíaco e se tornarem energeticamente enraizadas na compaixão daquele centro energético. Acredito nisso porque desde criança venho me preparando para essa missão. Agora os Emissários aparecem em todas as minhas apresentações públicas para me ajudar a ativar essa vibração mais elevada em todos os presentes. Eles e outros Seres Luminosos estão entrando em contato com muitos outros que estejam dispostos a levar o mundo na direção do amor, porque sem muita cooperação não teremos sucesso.

Talvez você já tenha sido contatado. Você saberá que isso aconteceu se de repente sentir uma necessidade profunda e urgente de perdoar todas as feridas em seu orgulho e os danos sofridos no passado, e decidir amar a si mesmo, aos outros e à vida com toda a alma e todo o coração.

Talvez você não tenha passado pela mesma conexão direta que eu passei, mas você pode ser e será alcançado se sentir que foi convocado para cumprir um papel na realização da missão desses Seres Luminosos. Quando isso acontece, o coração se tranquiliza e você começa a sentir a vida e o espírito que todos compartilhamos. Nunca

Você sabia que os seres luminosos...

... nos dizem que o universo tem um plano espiritual para elevar a vibração da Terra para uma oitava mais alta de harmonia e equilíbrio?

... estão se conectando conosco como nunca antes para nos trazer mais compreensão e mais amor num momento em que estão acontecendo mudanças importantes?

... nos ajudam enquanto a Terra se livra de velhos padrões negativos que acumulamos por ignorância?

... nos guiarão durante esse período de mudança?

mais você olhará para outra pessoa e se sentirá isolada ou sentirá algum tipo de ódio ou crítica. Isso não significa que você não passará mais por maus momentos nem ficará perturbado ou irritado. Apenas significa que os sentimentos e as vibrações de medo já não serão tão importantes a ponto de criar raízes.

Inicialmente, fiquei insegura para revelar minha conexão com os Emissários do Terceiro Raio tão cedo na experiência com eles, mas eles me encorajaram a fazer isso dada a importância de sua mensagem: "Deixe de ter o medo como energia fundamental e adote o amor em seu lugar." Sinto a urgência dessa informação e espero que você também sinta.

Agora é sua vez

Abra seu coração para receber os Seres Luminosos e deixe-os entrar em sua vibração — é fácil. Peça a ajuda deles sempre que sentir medo ou outras formas de sentimento como raiva, crítica, tristeza ou qualquer um de outros disfarces do medo. Com uma respiração lenta, abra o coração e estenda as mãos. No começo pode parecer que nada está acontecendo, mas não se deixe desencorajar. Continue a respirar e mantenha seu centro aberto.

Logo você sentirá o apoio deles, pois as forças generosas desses seres são muito intensas. Experimente agora mesmo e veja se pode senti-los. Se puder, desfrute a energia de cura; se não, continue a respirar e libere seu medo.

Quer você sinta a presença deles, quer não, os Seres Luminosos estão presentes. No nível pessoal, eles inspirarão um sentimento profundo de paz, seja o que for que esteja acontecendo em sua vida. No nível cósmico, você se unirá às forças que desejam que nos amemos e salvemos este belo planeta. Espero que você se reúna a mim e a outros nessa tarefa.

CAPÍTULO 20

As entidades negativas

Quando nos tornamos acessíveis aos guias espirituais, é muito importante estar estabilizados e ser seletivos para atrair e receber guias de alta vibração que nos ajudem em nossas vidas — e não as entidades de baixa vibração e negativas, que só perturbam e distorcem as coisas, criando problemas.

Assim como você não convidaria um estranho para sua casa, dando-lhe controle sobre o ambiente, sem um escrutínio inicial você não deve achar que todos os guias são úteis ou dignos. Muitos deles são Seres Luminosos magníficos, mas existem espíritos que não têm uma vibração elevada. Eles estão por aí, perdidos e confusos, e adorariam se impor a você e tentar dirigir sua vida, em vez de flutuar à deriva pelo espaço. Em sua maioria, esses espíritos menores são inofensivos, mas incomodam e podem ser facilmente reconhecidos por sua vibração.

Os guias de alta vibração são delicados, pacientes, calmos, amorosos e não nos dizem o que fazer. Em vez disso, fazem sugestões sutis, em geral respondendo a uma solicitação, e nos deixam com sentimentos de paz e amparo. Por outro lado, as entidades de baixa vibração são impositivas, autoritárias, negativas e fazem todo o possível para nos controlar, inclusive por meio da lisonja, da crítica a terceiros ou da tentativa de nos obrigar fisicamente a fazer o que eles querem: criar confusão e problemas.

Eles gostariam de nos fazer acreditar que são forças poderosas a que precisamos obedecer, mas na verdade eles não têm poder e são facilmente afastados. Para isso só é preciso usar a intenção e mandá-los para a luz, pedindo-lhes com firmeza para irem embora. Eles são quase sempre indivíduos desagradáveis que se divertem à nossa custa e se introduzem em nosso campo de percepção quando não estamos estabilizados ou concentrados.

Também podemos identificar entidades de baixa vibração porque elas são muito sedutoras. Elas sugerem coisas que possam despertar em nós o sentimento de que somos mais importantes, inteligentes ou especiais que os outros. Um guia de alta vibração nunca fará isso porque sabe que espiritualmente somos todos iguais, embora em níveis diferentes de consciência. Ninguém é especial, porque todos estamos conectados. As entidades menos evoluídas falam a nossos egos. Os guias mais elevados se conectam com nosso espírito.

Essas energias gostam de culpar os outros por nossos problemas e estimulam em nós atitudes de vitimização e autopiedade; elas querem que fiquemos longe dos outros. Por outro lado, os guias confiáveis nos estimulam a ver os desafios e as experiências como lições, e a saber que os envolvidos nessas experiências estão apenas nos ajudando a aprender e crescer espiritualmente. Eles pedem que estudemos e aprendamos amorosamente com todas as situações e que sigamos adiante quando a lição tiver sido aprendida. Ela não usam a culpa e nos estimulam a ver os outros com compaixão e perdão.

As entidades negativas querem mandar em nós. Ansiosas por influenciar, elas deixam uma sensação de assédio muito diferente da sensação dos guias de alta vibração, que são sutis e entram em nosso mundo devagar e com respeito, e somente quando são chamados.

O que atrai as entidades negativas

Por ter medo desses seres muita gente evita se abrir para os guias, afastando-se de seus imensos recursos espirituais. Não é muito fácil atrair entidades de baixa vibração, mas se isso acontecer elas podem ser facilmente rejeitadas. Contudo, é interessante saber o que *atrai* esse seres para evitá-los totalmente.

Talvez o fator de atração mais óbvio seja qualquer tipo de vício, do alcoolismo à obsessão pelo trabalho. Esses vícios enfraquecem a aura, confundem a vontade, perturbam o espírito e sabotam a criatividade. Eles criam o caos em nosso nível energético, como se tivéssemos um invasor em casa. Quem tem um vício fica descontrolado, portanto, não admira que as entidades negativas aproveitem a oportunidade para entrar. A forma de fechar essa porta é reconhecer o problema e tratá-lo.

Outra causa de atração é ser cronicamente passivo e desligado das próprias prioridades e metas. Isso não significa que você sempre tenha de saber o que deseja fazer, mas precisa pelo menos ter clareza sobre seus valores de modo a evitar mergulhar em territórios negativos. Se você for do tipo que quer se deixar conduzir e que não assume a responsabilidade pela própria vida, as entidades de baixa vibração se aproveitarão de você, da mesma forma como as pessoas fazem.

Além disso, existe uma lei universal: "O semelhante atrai o semelhante." Se você for uma pessoa amarga, crítica, agressiva, ciumenta e malévola, atrairá as mesmas qualidades do plano invisível. Não estou falando de ter um mau momento ou um episódio de atitude desagradável — isso é humano. Refiro-me a ser cronicamente negativo, uma vibração inteiramente diferente, que atrai a energia de entidades baixas.

Se você estiver extremamente cansado, estressadíssimo ou emocionalmente enfraquecido, existe uma pequena chance de que possa atrair uma entidade negativa em algum local público, da mesma forma como pode pegar um resfriado. Por exemplo, isso já me aconteceu em aviões, em quartos de hotel, em restaurantes e até mesmo em hospitais. Essas energias maçantes estão à espreita em qualquer lugar que tenha uma vibração "para baixo" ou estressada por longos períodos. Como passageiros clandestinos, essas entidades se agarram a seres de vibrações mais altas, como você, e os seguem. Em geral, elas não querem fazer mal; estão apenas tentando sair do limbo em que vivem.

Você sabia que as entidades negativas...

... nos estimulam a condenar e criticar tudo e todos?

... são energias muito fracas e nunca podem dominar o espírito humano?

Indícios da presença de entidades negativas são: cair subitamente num estado de humor muito ruim ou irritado; agredir as pessoas; ter crises de dúvida ou perda de energia; ver o mundo em termos deprimidos ou descrentes, principalmente quando esse não é o seu comportamento normal.

Hollywood tentou nos assustar com sua versão desses seres e do que acontece quando eles estão presentes, mas não se deixe enganar. O que você vê na tela não é só uma fantasia, é um absurdo. Eles são simplesmente como moscas que entram na luz — nada parecidos com *A noite dos mortos-vivos*. A título de informação, nunca vi uma entidade se apossar de ninguém. Eles podem nos assustar, mas o espírito humano é muito forte e não pode ser dominado com facilidade.

Como afastar as entidades negativas

Em geral, as entidades negativas são afastadas assim que surge uma energia positiva. Contudo, se você achar que atraiu uma, não tema. Isso não é diferente de um vírus; se você surpreendê-la cedo, poderá deixá-la de lado com facilidade simplesmente elevando sua vibração por meio de pensamentos positivos sobre coisas e pessoas que você ama.

Se uma entidade se apegar a você durante algum tempo ou for excepcionalmente tenaz, você pode precisar realizar um ritual para se livrar dela. Comece por pedir a seus anjos e aos arcanjos para limparem sua aura de todas as forças negativas. Em seguida, tome um longo banho de banheira com sal-amargo para se livrar de qualquer entulho psíquico que tenha sobrado. Finalmente, peça a seu Eu Superior para remover qualquer resto de energia desagradável e diga em voz alta: "Neste momento mando todas as entidades negativas para a luz. Estou livre e limpo de qualquer entulho psíquico." Isso deve resolver o problema; resolve para mim.

Sei que os indivíduos com maior tendência para atrair entidades negativas são aqueles que têm limites fracos e pouco saudáveis. Tal como deixar as portas e janelas da casa sempre abertas pode atrair ladrões, manter a aura aberta pode favorecer invasores psíquicos. Os guias de alta vibração nunca invadem seus limites, mesmo que estes sejam instáveis e maldefinidos, mas os seres de baixa vibração são capazes de nos invadir.

Para estabelecer limites saudáveis simplesmente diga em voz alta: "Reivindico minha vida, meus limites e meu direito de ser eu mesmo em todos os momentos. Só convido a se conectar com meu coração a ajuda mais elevada, tanto do mundo físico quanto do mundo não físico. Estou protegido de qualquer influência que não venha para o meu bem." E diga isso com convicção.

Adquira o hábito de não assumir o que não for sua responsabilidade. Se alguém não estiver se sentindo positivo, envie-lhe seu amor, mas não absorva sua vibração. Se necessário, simplesmente afaste-se da vibração negativa. Acenda em sua visão mental uma luz branca e deixe que ela sirva de escudo para bloquear toda a negatividade.

Estabeleça limites claros quando pedir ajuda ou abrir seus canais psíquicos. É prudente antes de pedir orientação criar limites, como um filtro feito para remover resíduos. Para isso, peça que apenas os guias mais amorosos possam entrar e influenciar sua energia. Isso é suficiente para evitar um problema.

Em raras ocasiões, uma entidade malévola pode se anexar e criar problemas. Já vi isso acontecer, e é perturbador. Tal como crianças mal-educadas que se recusam a respeitá-lo, algumas dessas criaturas podem querer nos testar. Tal situação costuma ocorrer principalmente com adolescentes drogados e com pessoas entediadas, sem compromisso ou focalização, que esperam apimentar a vida com emoções psíquicas.

Mesmo nesse nível, essas entidades podem ser afastadas se as vítimas pedirem ajuda, cercarem-se de preces, pedirem a outros para rezar por elas e concentrarem as intenções nas metas mais importantes do momento. Se você acreditar que alguém está sendo perturbado por uma entidade, poderá dispersá-la pedindo-lhe que vá embora e entre na luz, em nome de Deus. Ela deve obedecer, já que não há nada maior do que Deus.

Não gaste muito tempo discutindo com essas criaturas, porque elas se alimentam dessas conversas. Como *hooligans*, que criam confusão, essas entidades adoram assustar as pessoas e florescem quando recebem atenção. Em vez de se submeter a isso, insista em mandá-las embora, o que rapidamente dispersará o escasso poder delas.

Escrevi sobre entidades negativas porque elas são um aborrecimento e podem causar incômodo, mas você não deve vê-las como um grande problema. Apenas seja seletivo quando abrir seus canais psíquicos e estabeleça limites sólidos. Se for claro, estável e lembrar-se de se cercar da luz e da proteção divinas, você ficará bem.

Agora é sua vez

Se você encontrar uma entidade negativa, siga os passos:

- Mantenha a estabilidade.
- Estabeleça seus limites.
- Invoque seus anjos e os arcanjos para limparem sua aura.
- Tome um banho com sal-amargo.
- Invoque ajuda e peça que os outros rezem por você.
- Restabeleça o compromisso com suas metas.

Isso deve eliminar o problema. Melhor ainda é seguir esses passos como medida preventiva para evitar que o problema aconteça.

Agora que você já conhece os guias específicos e o propósito deles em sua vida, vamos seguir adiante e aprender como reconhecer com facilidade a maneira pela qual eles trabalham conosco.

PARTE V

Como trabalhar com os guias espirituais

CAPÍTULO 21

Os guias espirituais estão mais perto do que você imagina

Agora que você foi apresentado aos diversos tipos de guias espirituais à sua disposição, é tempo de analisar exatamente como você deve trabalhar com eles. Estou convencida de que o maior obstáculo para receber a sabedoria dos guias numa base regular é apenas a falta de informação sobre a maneira pela qual eles se comunicam conosco. Nunca é demais ressaltar como os guias espirituais são sutis e como é fácil perder de vista ou não enxergar seus sinais.

No entanto, devo dizer que tão logo você os convide para ajudá-lo eles aproveitarão todos os momentos e usarão todos os meios possíveis para chamar sua atenção. É simplesmente uma questão de reconhecer os esforços deles e apreciar como estão próximos e decididos a se comunicar com você.

Uma das maneiras mais consistentes de conexão dos guias conosco é pela inspiração. São eles que nos inspiram ideias, soluções, novos cursos de ação ou meios de expressão criativa. A palavra *inspiração* é diretamente derivada da palavra *espírito*, portanto, quando você está no estado inspirado, está se comunicando com os guias.

Minha cliente Claire, que é uma cantora e compositora de talento, contou essa história maravilhosa: quando ela estava na universidade, estudou na França, tal como eu. Num dia frio e fechado de dezembro, sentindo-se muito solitária e deslocada, ela pensou em ir embora. Enquanto planejava a retirada, ao voltar da universidade para casa foi inspirada a pegar o metrô em vez de caminhar as seis quadras curtas, como costumava fazer para economizar.

A inspiração bateu quando ela estava em frente à estação de metrô. Sem hesitar, Claire decidiu entrar em um trem sem nem ver se era da linha correta. Quando desceu as escadas para a estação, ela ouviu uma linda música tocada por um grupo de jovens que cantavam a plenos pulmões em inglês, o que a fez sorrir pela primeira vez em muito tempo. Envolvida pela música e pela energia dos cantores num dia tão sombrio, ela foi para a plataforma e encontrou três rapazes extremamente atraentes tocando seus violões com os estojos abertos para receber contribuições. Eles começaram a conversar, e ela soube que dois deles, Jay e Skip, eram londrinos, e o terceiro, Tony (que ela achou muito bonito), era neozelandês.

Para grande alegria de Claire, eles a convidaram para ficar e cantar com eles, e até se ofereceram para dividir o dinheiro arrecadado. Sem ter outra coisa para fazer, ela concordou. Quando se deu conta, já se haviam passado seis horas, e ela se divertira como nunca. Claire fez planos para encontrá-los novamente no dia seguinte. Isso se repetiu durante todo o resto do ano letivo — durante o qual ela permaneceu no país, completou o curso e se apaixonou por Tony. Eles se casaram e foram para a Nova Zelândia, onde montaram uma gravadora e passaram a produzir os próprios CDs.

A parte mais surpreendente dessa história, segundo ela, é que Claire nem sabia que gostava de cantar! Maravilhada ela relembra que tudo isso aconteceu simplesmente porque decidiu seguir a inspiração de pegar o metrô, em vez de caminhar.

Outro cliente, Jacob, diretor de criação em publicidade por formação, mas músico por opção, seguiu um caminho tradicional na vida. Ao terminar a universidade foi trabalhar numa agência de publicidade e continuou no mesmo emprego por 25 anos. Jacob se casou, foi morar num bairro de classe média de Chicago e teve dois filhos.

Seu amor pela música ficou latente, confrontando-o diariamente, o que o deixava triste. Dividido entre o papel de pai, marido, homem da casa e o desejo secreto de ser um músico de blues, com o passar dos anos ele foi ficando muito deprimido.

Então, um dia, Jacob teve a inspiração de procurar o dono de um restaurante que frequentava com a família para sugerir uma noite musical nos fins de semana. Ele propôs organizarem uma noite em que ele e outros músicos pudessem tocar e as famílias pudessem desfrutar da música, comer, dançar e se divertir. Embora não visse muitas chances de ser aceito, ele seguiu essa inspiração e agiu.

O dono do restaurante ficou entusiasmado, e na primeira noite o sucesso foi tão grande que Jacob foi convidado para tocar regularmente. Os restaurantes vizinhos começaram a solicitá-lo também e logo nasceu uma carreira de fim de semana. Ele nem precisou deixar o emprego regular.

Você sabia que os guias espirituais...

... trabalham nos bastidores colocando em nossa percepção excelentes ideias na forma de inspiração?

... talvez não nos inspirem pelos canais que você espera?

Para reconhecer a inspiração e segui-la é preciso ter uma mente aberta. Os guias espirituais podem dar a melhor assistência aos que estão dispostos a se ajudar. Eles inspiram, mas cabe a nós aceitar a inspiração e fazer algo com ela.

Por exemplo, há vinte anos, Patrick, que é fanático por ciclismo, teve a inspiração de importar e vender nos EUA agasalhos e shorts franceses e italianos para ciclistas; esses trajes eram virtualmente desconhecidos no país. Achei a ideia excelente e o estimulei a agir de imediato. Mas ele só encaminhou o projeto até o momento em que um bom amigo afirmou que a proposta era ridícula porque um homem norte-americano nunca usaria roupas de elastano. Diante disso, Patrick abandonou a ideia.

Dois anos depois o elastano invadiu o mercado americano, e os trajes de ciclismo franceses e italianos viraram o maior sucesso de vendas. Patrick recebeu uma inspiração, mas rejeitou-a. Obviamente, ela foi passada para alguém, que a levou adiante.

O caso de Patrick não é raro. Em minha prática como médium ouço constantemente clientes se queixarem de que alguém roubou uma ideia deles. A verdade é que ninguém roubou nada. Acontece que o guia espiritual nos inspira com um conceito cuja hora chegou; se não agirmos, a ideia será levada para outro alguém, de mente aberta, que irá aceitá-la e usá-la. Não sei quantas vezes ouvi pessoas se queixarem de pertencer ao clube do "faria, podia, devia", das oportunidades perdidas e das inovações intuitivas, porque preferiram ignorar a inspiração.

Algumas das grandes inovações nos campos da música, arte, literatura e até mesmo das ciências foram inspiradas por guias e recebidas de coração aberto. Portanto, comece hoje mesmo a prestar atenção à sua inspiração; mais importante ainda é ver o que faz com esses presentes da espiritualidade. Você os vê como presentes dos guias e faz uso deles? Ou você os rejeita como ideias malucas e continua no mesmo atoleiro?

Enquanto pergunto isso, me vem a lembrança de uma piada sobre um homem que trabalhava incessantemente para a Igreja, acreditando que Deus sempre cuidaria dele e o protegeria. De repente, a cidade sofreu uma terrível inundação. Toda a população foi evacuada, mas ele se recusou a sair, afirmando que Deus cuidaria de seu bem-estar. Logo a primeira porta da igreja estava submersa, e um carro veio resgatá-lo, mas ele ficou, reafirmando que confiava em Deus.

A água subiu mais, portanto, ele foi para a galeria do coro; em seguida toda a igreja estava embaixo d'água. Chegou um barco para salvá-lo, mas ele ficou onde estava, insistindo na mesma coisa; por fim ele foi para o telhado, onde um helicóptero surgiu e deixou cair uma escada. Ele recusou a escada e morreu afogado.

Ao chegar ao céu, furioso, ele interpelou Deus:

— Por que você não cuidou de mim e me protegeu?

E Deus respondeu:

— De que você está falando? Eu mandei um carro, um barco e um helicóptero!

Conto essa história porque é muito semelhante à maneira pela qual as forças mais altas se conectam conosco. Elas chamam nossa atenção uma vez, duas vezes e até mais. Meu professor Charlie certa vez declarou: "Se uma ideia cruza sua mente duas vezes, ela é absolutamente verdadeira; mais do que isso significa que seus guias estão praticamente gritando com você." Em outras palavras: a ajuda do mundo espiritual está disponível, mas vem à própria maneira, e não necessariamente da maneira que você espera.

Agora é sua vez

Se quiser aproveitar a ajuda dos guias espirituais, preste atenção à forma pela qual eles trabalham e não recuse a ajuda, porque eles não fazem as coisas do seu jeito.

Aceite toda inspiração, todo impulso, toda ideia brilhante como uma mensagem importante do alto, e não perca tempo discutindo, negando ou questionando a inspiração, para não perder o último helicóptero.

CAPÍTULO 22

Os guias também usam mensageiros

Os guias podem querer atrair sua atenção, mas ser impedidos de conseguir isso por seu estado emocional. Se você estiver estressado, preocupado ou sofrendo de algum tipo de distúrbio emocional, fica praticamente impossível para o guia chegar a você. E sejamos sinceros: esse é o momento em que mais precisamos ouvi-los.

Nesse caso, o que um guia faz? Em vez de tentar se comunicar com você ou inspirá-lo diretamente, muitas vezes ele se vale da ajuda de alguém que esteja por perto para passar suas mensagens de apoio. Na verdade, é muito provável que o guia de alguém já tenha usado você para ajudar seu tutelado.

Por exemplo, alguma vez você sentiu, sem nenhum motivo, o impulso de pegar o telefone e ligar para alguém e ouvir dessa pessoa que você não poderia ter ligado numa hora melhor? Recentemente, meu cliente Jeff me contou que na primavera passada estava em seu trabalho no canteiro de obras, às 6 horas da manhã, quando sentiu a necessidade imperiosa de ligar para a avó, que ele amava, mas com quem não falava havia mais de um ano. O sentimento foi tão forte que, apesar de ser tão cedo, ele ligou imediatamente. Ela atendeu ao telefone chorando.

— Você está bem, vovó?

— Ah, Jeff, eu pensei que fosse o veterinário. Não, não estou bem. Meu gato, Bob, acabou de morrer. Ele é meu melhor amigo e companheiro há vinte anos. Agora eu não tenho mais ninguém. Estou arrasada.

Consternado com o sofrimento da avó, Jeff respondeu:

— Sinto muito, vovó. Mas você está errada numa coisa: você não está só. Estarei livre este fim de semana e irei aí para vê-la. Fique firme, vovó. Eu vou chegar à noite para ajudá-la a passar por essa situação. — Ao sair do trabalho, ele foi para lá.

Outra cliente, Jesse, contou que certa manhã estava tranquilamente sentada num café preparando um relatório para o trabalho quando, sem pensar, perguntou à mulher da mesa vizinha se ela era cliente regular daquele estabelecimento. A mulher respondeu:

— Na verdade, não. Quer dizer, sim. Ou melhor, não. O que quero dizer é que acabei de me mudar de Indiana, cheguei aqui há apenas três dias. Estou na casa de uma colega da universidade e procuro um apartamento neste bairro. Eu adoraria viver aqui, mas me disseram que é muito difícil encontrar um imóvel nesta época do ano.

Jesse riu e comentou:

— Isso é tão estranho. Hoje de manhã minha senhoria perguntou se eu conhecia alguém que estivesse procurando apartamento. Ela não quer passar por todo o sufoco de anunciar. Eu moro aqui há cinco anos e adoro o edifício. Fica a três quadras daqui. Este é o telefone dela.

A mulher assinou o contrato antes do almoço. As duas se tornaram grandes amigas. Os guias da mulher pegaram Jesse de empréstimo para ajudar sua protegida.

Como outro exemplo, veja o caso do meu amigo Bill, um apresentador de televisão solteiro que desejava encontrar a mulher ideal, e quase não pôde acreditar quando seu desejo se realizou. Uma linda mulher, Angela, foi entrevistá-lo para uma revista local. A química entre eles foi inegável. No entanto, achando que aquilo não era real, enquanto caminhava do trabalho para um almoço com Angela, Bill pediu a seus ajudantes espirituais algum tipo de sinal para ter certeza de que o amor estava realmente no ar.

Quando Bill entrou no restaurante, o maître presenteou-o com uma rosa. Ao ser questionado sobre o motivo do presente, o homem respondeu: "Não sei. Alguma coisa me disse para lhe dar esta flor." Imaginando que a rosa fosse o sinal solicitado, Bill a pegou e deu a Angela quando chegou à mesa. Um ano depois eles estavam casados.

— A rosa foi um sinal — afirmou Bill. — Quando recebi aquela rosa, soube que meu desejo estava para se realizar. E era verdade.

Você sabia que...

... toda mensagem que chama nossa atenção é significativa, seja quem for o mensageiro?

Agora é sua vez

Reflita sobre alguma ocasião em que você foi o mensageiro espontâneo e o guia para alguém, uma ocasião em que telefonou na hora exata para fazer alguém ganhar o dia, disse a coisa certa ou apresentou a solução necessária. O que aconteceu? Quando isso aconteceu? Como aconteceu? Quem esteve envolvido? Qual foi o resultado? Você sentiu a influência do Outro Lado nesse acontecimento? Fale sobre essa experiência a pelo menos uma pessoa interessada e observe que efeito isso produz em você.

Nessas situações, os guias do outro pediram você por empréstimo durante alguns instantes e o usaram para passar uma mensagem útil. Essa é a beleza desse universo infinitamente amoroso. Estamos todos interligados e podemos tanto ser ajudados quanto ajudar.

CAPÍTULO 23

A linguagem dos espíritos

Além de serem sutis, em vez de nos falar em linguagem direta os guias espirituais podem usar enigmas, metáforas, símbolos, sonhos e até mesmo piadas na comunicação conosco. Portanto, você não só precisa se treinar para capturar vibrações sutis como também deve reconhecer que o mundo espiritual tem uma linguagem própria e que cabe a você aprendê-la.

Não deixe que isso o assuste. Seus guias não querem lhe pregar peças ou confundi-lo. Na verdade, o método de comunicação deles muitas vezes é mais claro, mais forte e mais cômico que uma mensagem direta.

Tive uma cliente, uma comissária de bordo, que adorava doces. Um dia, às 4 horas da manhã, enquanto se preparava para fazer a viagem de 65 quilômetros até o aeroporto, ela ouviu mentalmente: "Não está um dia ótimo para comer um donut?"

Habituada a conversar com os guias e fascinada pela ideia de um donut fresquinho, ela disse em voz alta:

— Está mesmo, mas estou atrasada. Hoje não posso parar.

Ao colocar a mala no carro, ela tornou a ouvir: "Não está um dia ótimo para comer um donut?" Rindo, ela repetiu que era um bom dia, mas ela não podia parar porque estava atrasada. No momento exato em que estava para entrar na via expressa, ela viu um trailer de donuts entrar no posto de gasolina ao lado da entrada da pista. Mais uma vez os guias perguntaram se não era um bom dia para um donut e ela respondeu:

— Está bem, eu me rendo. Mas preciso correr.

Entrando no posto atrás do trailer, ela desligou o motor e viu que estava quase sem gasolina, e tomou um susto ao perceber que poderia ter ficado sem combustível na via expressa e perdido o voo. Os guias disseram em uníssono:

— Está vendo como é um dia ótimo para comer um donut?

Meu cliente Fred estava no chuveiro pela manhã, preparando-se para trabalhar, quando ouviu: "Saia da pista expressa." Ele imaginou que era uma metáfora de seus guias sugerindo-lhe que reduzisse o ritmo e levasse as coisas com calma. Logo ele descobriu que era muito mais que isso. Na estrada para a viagem de quarenta quilômetros até o trabalho, ele entrou na pista expressa como sempre fazia. De repente, o pneu dianteiro direito furou e ele quase perdeu o controle do carro. Fred conta:

— Felizmente, segurei o volante e manobrei o carro para fora da pista expressa; cruzei três pistas até o acostamento sem ninguém bater em mim e sem bater em ninguém. Foi um milagre. Saí do carro para examinar o pneu e vi um resto de borracha pendurado na roda. Então me lembrei do que tinha ouvido no chuveiro. Agradecido, falei para meus guias: "Vejo que vocês não estão usando metáforas hoje."

Ele conta que começou a caminhar em direção à rampa de saída para buscar ajuda; olhando para o chão viu uma moeda de 5 centavos e uma moeda de 1 centavo. Ao se abaixar para pegá-las, disse em voz alta: "Oh, 6 centavos!" Então entendeu que os guias estavam se divertindo à sua custa.

— Seis centavos, sexto sentido.* Entendi. Obrigado novamente. Agora, por favor, mandem ajuda!

Aprender a falar a linguagem dos espíritos é um processo de erros e acertos que requer paciência e senso de humor. Os guias adoram rir e tentam nos fazer rir também. Quanto mais você rir, mais alta será sua vibração, e eles adoram sentir isso em nós, portanto, brincam conosco sempre que podem.

Eu estava dando uma aula sobre comunicação com os guias no Omega Institute em Nova York, e propus um exercício em que os alunos formavam pares e tentavam falar diretamente com seus guias. Como esperava revelações sensacionais, decepcionada, uma aluna levantou a mão:

— Não estou entendendo nada. Só ouço meu guia dizer: "Jujuba. Diga à sua parceira para curtir a jujuba." Isso é ridículo!

Assim que ela disse isso, a colega de grupo engasgou e exclamou:

— Meu Deus! Por que você disse isso? Passei a manhã toda pensando se deveria ter um cachorrinho para me fazer companhia, porque minha vizinha me ofereceu um dos filhotes da nova ninhada da cachorrinha dela. O nome do filhote é Jujuba! Acho que isso responde à minha pergunta.

Às vezes o guia nos fala por meio de símbolos. Uma cliente que era constantemente bombardeada com imagens de borboletas me perguntou por que isso acontecia.

— Meu vizinho acabou de me telefonar e me perguntou se eu queria uma "árvore borboleta" como presente de aniversário. Eu nem sabia que isso existia.

Sugeri que nos próximos seis meses sempre que encontrasse uma borboleta ela escrevesse em seu diário exatamente o que estava

---

* Em inglês, a pronúncia da expressão "6 centavos" (*six cents*) é muito similar à pronúncia de "sexto sentido" (*sixth sense*). (*N. da T.*)

acontecendo. Depois de começar a documentar a aparição de borboletas, ela percebeu que essa imagem surgia sempre uma hora depois de ela ter pedido ao universo e aos seus guias uma confirmação de que estava no caminho certo. Elas eram a comunicação dos guias, afirmando que tudo estava bem.

Outra mulher em uma de minhas turmas disse que toda vez que estava para fazer algo errado brotava em sua cabeça a canção *Don't let the sun go down on me*, de Elton John. Na última vez em que ouviu a canção, ela havia acabado de ficar noiva de um homem que adorava (um atleta profissional muito atraente); pelo menos ela adorava a beleza e o dinheiro dele. No dia seguinte ao noivado, quando entrou no carro, ela ligou o rádio e ouviu a voz de Elton John cantar essa canção. Ela deu um grito e desligou o rádio, mas soube que aquilo era um sinal de que nem tudo estava bem.

Depois de um noivado turbulento de seis meses, eles se separaram. Uma das últimas coisas que o noivo lhe disse durante uma briga sem sentido foi: "E tem mais: eu detesto Elton John."

Os guias costumam escolher símbolos com que já temos uma relação. Por exemplo, quando era muito pequena minha filha Sonia adorava o livro *The Runaway Bunny*, a história de um coelhinho que pensa em fugir de casa. Toda vez que ela se comportava mal, eu perguntava se ela era meu coelhinho fujão. Quando Sonia entrou na adolescência e começou a testar limites, sempre que chegava à beira de um comportamento inaceitável via um coelho em algum lugar.

Certa vez, quando pensava em dizer que ia dormir na casa de uma amiga, mas na verdade iria a um show para o qual era muito nova, um coelho passou na frente dela na porta da escola. Em vez de mentir, ela pediu permissão, e meu marido e eu concordamos, desde que fôssemos levá-la e buscá-la no show. Outra vez, depois de uma grande discussão comigo, ela saiu batendo a porta e foi caminhar — e viu dois pés de coelho em lugares diferentes. Sonia voltou para casa e pediu desculpas. Enquanto isso, um coelho de madeira caiu de uma prateleira do meu escritório sem motivo aparente. Também pedi desculpas a ela. Em outra ocasião, ela pensava em fazer uma viagem com uma amiga sem ter muita certeza se queria realmente conviver com aquela colega. Patrick subiu a escada do porão com um exemplar muito gasto do livro *The Runaway Bunny*, o mesmo que ela lia na infância. Ela ficou em casa.

Então, o que chama sua atenção? Se não for capaz de responder imediatamente a essa pergunta, não se preocupe. Apenas plante a questão em sua consciência e a resposta surgirá.

Uma cliente que começava a trabalhar com os sinais e símbolos contou a seguinte história interessante: um dia, quando ia sair para fazer compras com uma amiga, ela escutou dos guias: "Não vá enquanto não embaralhar suas cartas." Ela pensou "*Que ideia engraçada*", esqueceu o assunto e continuou a se aprontar. Alguns segundos depois, escutou a mesma coisa, dessa vez em tom de brincadeira. Ela achou que talvez os guias estivessem se referindo ao baralho de tarô que ela acabara de comprar e nem examinara direito. Sem querer botar as cartas naquele momento, ela esqueceu a mensagem, pegou a bolsa e caminhou para a porta.

Mais uma vez escutou, com toda clareza: "Não saia enquanto não embaralhar suas cartas." De repente ela sentiu um cheiro estranho. Olhou para a porta de vidro do escritório, que estava fechada, e viu que o cômodo estava cheio de fumaça. Ela abriu a porta e encontrou ainda queimando no recipiente de vidro uma vela votiva que ela acendera mais cedo. O vidro estava tão quente que deixou o tampo da mesa em brasa. Ela apagou a vela e o topo da mesa.

— Isso poderia ter causado incêndio — disse em voz alta. Então viu que ao lado da vela estava o baralho de tarô. Grata aos guias pelo aviso, ela pegou o baralho e embaralhou as cartas. — Obrigada, não deixem de me avisar sempre que quiserem que eu embaralhe as cartas.

Então, uma carta caiu do baralho. Era o ás de copas, que significa "com a proteção do amor".

Quando começar a se conectar conscientemente com o mundo invisível, você poderá aprender a falar sua linguagem. Ela é cheia de símbolos, aromas, enigmas, brincadeiras e até mesmo sons, escolhidos de modo a fazer algum sentido para você. Aproxime-se do mundo do espírito como se aproximaria de um país estrangeiro e exótico — admire a paisagem, aprecie os costumes nativos e aceite a hospitalidade dos habitantes, seus guias espirituais. Logo você estará fluente na linguagem deles.

Você sabia que...

...parte do aprendizado da comunicação com os guias passa por se tornar fluente na arte sutil dos símbolos e sinais, agindo quando eles aparecem? Quanto mais você aceitá-los, mais eles farão sentido.

Agora é sua vez

Num bloquinho de rascunho comece a anotar informações sobre objetos, impulsos, imagens, frases, melodias, ideias e até mesmo pensamentos aleatórios que surjam de forma inesperada e recorrente em sua vida. Depois de duas semanas, analise suas notas. Você vê um padrão? Reconhece algum significado mais amplo ou uma brincadeira oculta nessas mensagens agora que algum tempo se passou? Alguém está tentando lhe dizer alguma coisa? Preste atenção e perceba o que está tentando emergir.

CAPÍTULO 24

Os nomes de seus guias

Uma das perguntas mais frequentes que meus clientes me fazem é: "Qual é o nome do meu guia?" Espero que a essa altura você já saiba que durante a vida se relaciona com muitos guias, não apenas um, e que quando eles deixam o corpo físico quase sempre não têm gênero ou nome, por existirem no nível energético. No entanto, para facilitar nossa conexão com eles, às vezes assumem um nome ou até mesmo um gênero. Em geral, eles assumem uma identidade com a qual se relacionaram com você numa vida passada para que você possa se recordar deles e recuperar a conexão em nível consciente.

Outros guias, principalmente os de outros sistemas solares ou de frequências não físicas, simplesmente adotam um nome que represente melhor a vibração deles. Em geral, as vogais e os sons abertos têm uma frequência muito mais alta do que as consoantes, razão pela qual ouvimos falar de muitos guias cujos nomes são leves e luminosos como Ariel, Abu ou outro tipo de som aberto.

Alguns guias são pessoas que amamos, parentes ou amigos que já se foram e ainda podem estar operando energeticamente na mesma frequência ou em frequência similar àquela em que você os conheceu. Para que você possa reconhecê-los eles muitas vezes usam o nome que tinham na Terra. Quando o nome deles vem muitas vezes à sua mente, esteja certo de que eles estão com você. É claro que, se alguém faleceu há pouco tempo, seu nome surgirá em sua mente com muita frequência. Para saber se isso acontece apenas porque eles acabaram de partir ou se estão tentando comunicar-se com você, quando o nome surgir procure constatar se sente a presença do espírito deles ou se percebe qualquer outro sinal de que você possa estar conectado com eles. Se isso acontecer, é provável que o espírito deles esteja tentando fazer contato com você. Caso contrário, provavelmente você está pensando neles no contexto de sua morte recente.

Minha cliente Edith foi casada durante mais de quarenta anos com Stanley, a quem amava muito e com quem vivia no norte do estado de Michigan. Quando ele subitamente faleceu, em decorrência de um derrame, Edith ficou inconsolável. Várias semanas depois do funeral, quando começava a recuperar a normalidade, Edith começou a sentir a presença de Stanley em toda parte, mas em nenhum lugar essa presença era tão forte quanto na varanda de trás da casa, onde ele costumava se sentar numa cadeira de balanço. Ela encontrou um pássaro cardeal na cadeira e perguntou: "O que você está fazendo na cadeira de Stanley?" O pássaro não se moveu. Ela chegou mais perto e perguntou por que ele estava ali.

Edith recordou como Stanley adorava pássaros, portanto, o incidente a deixou desconfortável. No dia seguinte ela sentiu novamente a presença de Stanley e foi atraída para a varanda de trás, onde encontrou o mesmo cardeal vermelho pousado no braço da cadeira. Mais uma vez, a ave não fugiu.

Isso aconteceu durante dez dias. Finalmente, Edith disse para o cardeal: "Stanley, você está tentando me dizer alguma coisa?" O pássaro não se moveu. "É você mesmo, Stanley? De verdade?" Então ela abriu o coração, sentindo que o pássaro era o marido que estava ali para ouvi-la.

A mensagem mais importante que ela ofereceu ao pássaro foi um pungente adeus ao falecido marido, o que Edith não pudera fazer porque ele morrera de forma tão súbita. Depois disso, o pássaro foi embora, e não voltou mais. No entanto, a conexão foi feita: Stanley apareceu e ajudou Edith a superar a perda.

Recentemente, num workshop de uma semana de duração, uma cliente desejava desesperadamente se conectar com um de seus guias para pedir ajuda para seus problemas no casamento. Assim que ela perguntou o nome do guia, em sua cabeça surgiu o nome James, seguido por "de olhos azuis e facilidade com as palavras". Achando que aquilo estava fácil demais, ela perguntou a James se ele poderia dar outro sinal de que ela entendera corretamente o nome e estava de fato falando com uma força de cura. O que surgiu em seguida em sua mente foi: "Escreva uma carta para seu marido. Não fale." Ela pensou na questão durante vários dias e depois seguiu o conselho de James: escreveu uma carta de dez páginas para o marido explicando exatamente o que desejava mudar no relacionamento e o que achava bom, e pediu que ele fizesse o mesmo. Então, enviou a carta.

Dois dias depois, enquanto ainda estava no workshop, ela recebeu do marido flores e uma carta em que ele dizia que conseguia entendê-la muito melhor e concordava em tentar trabalhar as questões que ela suscitara — tudo isso da parte de um homem que normalmente era extremamente evasivo, tanto verbal quanto emocionalmente. Portanto, ela decidiu que James era o nome de seu guia e que ele se provara amplamente como força de cura, graças às sugestões que lhe oferecera.

Às vezes você não vai receber um nome, porque não estará trabalhando com um guia. Como mencionei antes, eu me conecto com três guias que falam como um trio e se denominam os Três Bispos. Também estou em contato com as Irmãs Pleiadianas, dois anjos muito belos que às vezes podem ser três ou mais e que também me falam em uníssono.

Minha querida amiga Julia Cameron escrevia com frequência para seus guias quando estava trabalhando num filme, e eles sempre respondiam no plural, sem revelar seus nomes. Outra amiga chama seus guias de Os Luminosos.

Às vezes os guias revelam seus nomes por meio da escrita automática. Quando se conectar com eles dessa forma, pergunte-lhes como deve chamá-los e veja o que surge de sua caneta.

Vale o mesmo para visualizar o guia em seu lugar sagrado. Quando vir ou sentir a presença de um guia, pergunte como deve chamá-lo e ouça a resposta.

Se o nome mudar, isso significa que o guia se afastou e outro tomou seu lugar, ou que o guia mudou de frequência para uma vibração diferente, criando um novo nome.

Você também pode *dar* um nome ao seu guia. Isso não altera a conexão. O nome que você escolheu é como um carinho para ele, como costumam ser os apelidos. Para citar Shakespeare numa cena de *Romeu e Julieta*: "O que é um nome? Aquilo que chamamos de rosa, se designada por outra palavra, teria o mesmo perfume."

Você sabia que...

... a melhor maneira de descobrir o nome de um guia que não seja um amigo ou parente já falecido é perguntar telepaticamente? A primeira ideia que lhe vier à mente é o nome certo.

Agora é sua vez

Para se conectar com o nome de seu guia, feche os olhos e respire fundo. Então peça a seu(s) guia(s) para se apresentar. Quando sentir a presença do guia, pergunte como deve se dirigir a ele. Aceite o primeiro nome que lhe ocorrer. Se não surgir nenhum nome, não se preocupe. Dê-lhe um nome você mesmo. Não pense demais, divirta-se com o processo. Seu guia vai adorar o nome que você lhe der.

Se sentir que está se conectando com um grupo de guias, pergunte o nome do grupo. Confie no que vier. Depois que tiver estabelecido um nome ou alguns nomes, chame seus guias pelo nome toda vez que quiser se conectar com eles. Eles responderão. Atribuir nomes torna a conexão mais pessoal e mantém os canais de alta energia ainda mais abertos. Escolher um nome determinado não é tão importante quanto ser fiel a ele. Os nomes são simplesmente símbolos da intenção. Se você for consistente, formará conexões fortes e aumentará sua capacidade de receber a ajuda do guia. Aproveite seus novos protetores.

CAPÍTULO 25

Os guias ajudam – não agem em nosso lugar

É extremamente importante entender o papel dos guias em sua vida se você quiser ter uma experiência positiva com eles. Eles adoram ajudar, e nunca se incomodam com pedidos de ajuda. No entanto, eles não podem — nem querem — fazer tudo por você. Aprendi isso por experiência própria, quando minha melhor amiga, Lu Ann, e eu colocamos as malas em meu carro e partimos para Denver em meados de janeiro porque resolvi voltar para casa depois de passar um ano e meio em Chicago por conta própria.

Quando saímos da garagem, Lu Ann perguntou se eu tinha um mapa e respondi com arrogância:

— Não preciso de mapa. Meus guias me mostrarão o caminho.

Uma hora depois, ao parar para abastecer o carro, percebi que estávamos em Milwaukee, após viajar 150 quilômetros na direção errada. O frentista riu de mim quando perguntei se estávamos na estrada certa para ir de Chicago a Denver; então, humildemente, comprei um mapa.

Não importa quem sejam seus guias e qual o nível de conhecimento deles; quando se tornarem acessíveis à sua influência, é importante entender que eles estão ali para ajudar, não para assumir e dirigir sua vida. O trabalho deles é fornecer carinhosamente dicas e instruções que diminuam suas preocupações e que o levem a um crescimento pessoal maior em sua jornada na Terra. Por mais tentador que seja desejar que um poder mais alto assuma o controle e o livre de qualquer erro, isso provavelmente acabaria por se tornar insuportável. Afinal, estamos aqui para aprender, e a única maneira de fazer isso é por erros e acertos. Seus guias não querem fazer seu trabalho; eles só querem ajudá-lo a aprender suas lições mais depressa e com mais eficiência, divertindo-se no processo.

Em outras palavras, não seja preguiçoso (como eu fui naquele dia) e não pense que pode colocar a vida no piloto automático, deixar de fazer o dever de casa e esperar que os guias assumam a direção. Os guias de alto nível não podem e não querem assumir o controle de sua vida. Eles só podem apoiá-lo e ajudá-lo. Como um mapa rodoviário, eles mostram a melhor maneira de chegar às metas, mas não dirigem o carro.

No entanto, preciso avisá-lo de que existem entidades de baixo nível, presas à Terra e ao ego, que ficarão felizes em dirigir sua vida se você permitir. Tive uma cliente chamada Denise que buscou a ajuda de um guia porque fez muitas dívidas e queria uma saída fácil. Em vez de pedir ajuda para aprender a administrar melhor o dinheiro, ela acreditava que um guia espiritual poderia simplesmente fazê-la conseguir dinheiro rapidamente. A primeira pergunta que fez a seu guia foi se devia jogar num cassino recém-aberto em um barco, na região, para ganhar dinheiro logo, conforme sugeriu outro amigo endividado.

Com certeza, apareceu imediatamente uma entidade de baixo nível que a estimulou a fazer exatamente isso. Convencida de estar sendo orientada para ganhar uma fortuna, ela diligentemente foi ao cassino semana após semana de acordo com o conselho dessa entidade imprudente, apesar de a cada visita ao cassino perder ainda mais dinheiro. Não só ela não pôde pagar as dívidas com o auxílio do guia, como esperava, mas também ficou ainda mais endividada. Em seis semanas ela perdeu a casa e contraiu uma dívida de mais de 75 mil dólares no cartão de crédito, além dos 50 mil dólares da dívida inicial.

Dizer ao marido chocado e abalado que a culpa era do guia não ajudou. Isso não resolveu o problema nem salvou seus bens, além de fazê-la parecer maluca. Em vez de ser honesta e admitir que tinha um problema, ela cegamente entregou o próprio poder para aquela entidade que a manipulou, criando uma situação ainda mais problemática. Denise perdeu tudo.

A melhor maneira de trabalhar diretamente com os guias é pedir orientação, mas entender que o máximo que eles podem fazer é dar sugestões, seja por impulsos delicados, por inspiração ou por uma intuição súbita. Cabe a você decidir se vai aceitar o conselho e agir de acordo. Seja o que for que eles ofereçam, use a capacidade de julgamento e o bom senso, e lembre-se: até que você decida agir ou deixar de agir, nada mudará.

Os guias não realizam o seu trabalho, não mudam as situações por você e não fazem mágica. Eles só podem nos tornar conscientes da magia natural e da benevolência do universo e nos ajudar a entrar em sintonia com ele.

Eis quatro perguntas básicas que poderão ajudá-lo a decidir se a orientação recebida é válida:

1. Essa orientação é sólida e segura?
2. Parece gentil e amorosa?
3. Leva todos os envolvidos em consideração?
4. Ela me ajuda sem prejudicar ninguém?

Se você puder responder afirmativamente a essas quatro perguntas, vale a pena considerar a orientação recebida. Do contrário, então os conselhos provavelmente vêm de uma fonte de baixo nível, e não devem ser levados em consideração.

De todo modo, não deixe que nenhuma orientação o perturbe. Se ela for negativa no sentido de trazer informações que você prefere não ouvir, de não estar de acordo com sua perspectiva ou de desapontá-lo, escute-a mesmo assim. O papel dos guias não é agradá-lo nem concordar com você. O papel deles é orientá-lo, o que às vezes pode ser difícil de escutar. Se a orientação for negativa no sentido de trazer sugestões desagradáveis sobre terceiros ou sobre você, de fazê-lo sentir-se ameaçado ou atacado, de desvalorizar seu espírito ou de encorajá-lo a contrariar seu bom senso, em vez de deixar que isso o assuste, não lhe dê nenhuma importância. Nesse caso, você inadvertidamente deixou uma entidade materialista entrar em sua consciência ou pregar-lhe peças. Ainda é possível, ou mais provável, que sua baixa autoestima tenha assumido uma voz mais alta que o usual e esteja interferindo com seu espírito.

Recentemente fiz uma palestra para um grande grupo em Chicago. Enquanto autografava livros, conheci uma jovem que estava muito preocupada. A jovem contou que seu guia lhe disse que ela e sua melhor amiga iam brevemente morrer num acidente de automóvel, e ela queria saber o que eu pensava disso. Respondi imediatamente que não dava o menor valor a esse contrassenso e que ela não devia perder nem um segundo preocupada com ele. Mas também lhe disse que nem por isso ela deveria dirigir sem cuidado. Ainda, que deveria usar o bom senso sempre que entrasse num carro. Aconselhei-a a não beber e dirigir, não correr demais, obedecer às normas do trânsito e pedir ajuda e proteção sempre que entrasse em um automóvel. "E relaxe", disse-lhe. "Você apenas esbarrou numa entidade menos elevada que se diverte assustando as pessoas."

Ela parecia visivelmente aliviada e eu também fiquei. Não fazia sentido deixá-la atormentar-se por algo tão pernicioso quanto ouvir dizer que está para morrer. Nenhum guia digno de respeito diria isso. A morte é uma comunicação sagrada entre o indivíduo e Deus, e os guias não interferem nessa comunicação. Além disso, os guias de alto nível não nos atormentam nem atormentam quem quer que seja com uma informação tão assustadora. Se ela estivesse realmente correndo perigo ou se arriscando, o guia a instruiria a dirigir com mais cuidado, sem ameaçá-la de morte.

Todos os guias de alta vibração reconhecem que somos espíritos belos e divinos, amados e preciosos, que frequentam um curso muito difícil e desafiador na Terra. Eles entendem nossas dificuldades, sentem compaixão por nossas lutas e nos amam e respeitam muito. Os guias de alto nível consideram um privilégio nos ajudar, e fazem isso de uma forma positiva, respeitosa e compassiva.

Quando falar com seus guias, não pergunte o que "deve" fazer. Em vez disso, peça que eles o direcionem no sentido do maior bem para sua alma e o ajudem a fazer escolhas inteligentes. Ao perguntar o que "deve" fazer, você na verdade está repassando para eles seu poder, o que eles não querem e não podem aceitar que você faça. Se você lhes pedir para dirigirem sua vida dessa forma, eles se afastarão de sua frequência e você precisará recomeçar a comunicação com eles do início.

Também é importante reconhecer a diferença entre uma orientação do guia e o próprio desejo. A verdadeira orientação é sutil e leva todos em consideração, sempre nos dirigindo para o caminho da responsabilidade pessoal, do crescimento espiritual e da integridade. Se você receber uma "orientação" que deixe de lado qualquer um desses aspectos, suspeite dela. Provavelmente, não se trata de conselho de um guia, mas da voz do seu ego tentando envolvê-lo nos próprios desejos.

Tive uma cliente que logo depois de conhecer numa festa de casamento um homem muito bonito que lhe deu alguma atenção perguntou ao guia se devia se divorciar. Presa a um casamento infeliz com um alcoólatra, mas também codependente e compradora compulsiva, ela desejava uma saída fácil daquela situação. O guia ficou em silêncio, mas o cérebro dela imediatamente respondeu: "Sim, deixe seu marido porque esse outro homem a ama." Convencendo-se de ter encontrado o parceiro ideal e de ter a permissão divina para deixar o companheiro errado, ela preencheu os papéis do divórcio, pronta para correr atrás de seu novo amor.

Aturdido, o marido implorou que ela não desse continuidade ao processo de divórcio e até sugeriu uma terapia de casal, mas ela já tinha se decidido pelo convidado do casamento e não estava mais interessada no marido. Ela estava certa de que essa era a atitude correta porque o "guia" confirmou. O divórcio se processou rapidamente e ela foi atrás do novo homem, que prontamente a informou de que não tinha um interesse genuíno por ela e lhe disse para "cair fora". Ela ficou arrasada e confusa.

— Meu guia me disse para me divorciar! — ela afirmou, aos prantos, no meu escritório. — Eu confiei nele. Como ele pôde me enganar dessa forma?

— Nenhum guia faria isso ou pode fazer isso — garanti. — Você tem certeza de que foi seu "guia" e não seu desejo pessoal?

— Acho que foi meu guia — respondeu ela, sem muita convicção.— Senti que era meu guia quando ele me disse para deixar meu marido.

No entanto, quando fiz as quatro perguntas básicas, ela não conseguiu responder a todas afirmativamente.

— Nesse caso, acredito que não foi seu guia — respondi, pensativa —, porque ele não tomaria essa decisão em seu lugar, nem seria tão insensível com seu marido. Isso não era um guia. Provavelmente era você em busca de uma saída fácil.

— Talvez. Talvez — respondeu, meditando sobre a confusão que criara na própria vida quando agiu tão depressa, sem pensar bem.

Uma pista singela para indicar se você está recebendo orientação sólida ou um retorno de baixo nível de seu ego, ou de alguma entidade de vibração menos elevada, é o fato de que a verdadeira orientação, mesmo quando não é exatamente o que você gostaria de ouvir, sempre deixa uma sensação de satisfação e paz. Ela reverbera energeticamente no âmago do corpo, acomoda-se e parece correta, seja qual for a mensagem. Se não se tratar de uma orientação sólida, ela não se instala comodamente no corpo. Em vez disso, dá a sensação de quicar dentro do cérebro como uma bola perdida que vai na direção errada. Portanto, quando se tratar de orientação dos guias, escute seu corpo. Em vez de pensar, sinta, e logo você perceberá a diferença.

Não deixe que o medo de entidades de baixa vibração ou do poder do ego o impeçam de pedir livremente a ajuda dos guias sempre que estiver em dificuldade. O propósito e a intenção deles é fortalecer sua conexão direta com o seu bem maior, e eles ficam felizes por ajudar. Quanto mais você trabalhar com os guias, mais fortalecerá seus sensores internos e sua intuição. E isso é mais uma indicação clara de que seus guias estão conseguindo trabalhar bem com você.

Você sabia que um guia de alto nível...

... vai ajudá-lo, mas não vai dirigir sua vida?
... vai inspirá-lo, mas não vai tomar as decisões por você?
... dá sugestões sutis que não prejudicam ninguém?
... nunca é insistente?
... ajuda a fortalecer sua intuição?
... deixa uma sensação de paz e amparo?

Agora é sua vez

Para evitar confusões quando se comunicar com os guias e para saber a diferença entre seu guia e seu ego, simplesmente evite a pergunta "Você acha que eu devo...". Em vez disso, peça aos guias para mostrar quais são as melhores opções. Então, tenha paciência e escute. Ao formular suas perguntas dessa forma, o canal entre você e os guias ficará mais forte e aberto, silenciando o seu ego e outras energias indesejáveis. Toda vez que perguntamos "Será que eu devo..." entregamos o controle a uma força externa. Os guias mais elevados se recusam a fazer isso, porque é falta de respeito. Seu ego, porém, se adianta e dirige o espetáculo, se você permitir.

É preciso alguma prática e atenção para se comunicar com os guias da forma certa e com a intenção adequada. Eis um pequeno truque que o manterá na trilha certa: toda manhã, diga aos guias que se você perguntar o que deve fazer na verdade está querendo dizer: "Por favor, mostrem minhas melhores opções." Dessa forma você diz aos guias que não abre mão da responsabilidade, mas ainda está aprendendo a ser consciente e pode cometer erros. Uma ou duas semanas desse procedimento provavelmente serão suficientes para treiná-lo a fazer a pergunta da forma correta.

CAPÍTULO 26

A comunicação com os guias por meio de oráculos

Quando eu tinha 12 anos, comecei a me comunicar com os guias por meio do meu primeiro oráculo, um baralho comum. Embora para a maioria das pessoas o baralho pareça ser apenas um recurso para jogar, as cartas na verdade descendem de um oráculo numerológico que vem da civilização milenar da Atlântida. Cada carta tem um significado especial que aprendi com minha mãe enquanto praticava fazer leituras na mesa da sala de jantar.

Logo que comecei a trabalhar com as cartas, mal conseguia lembrar seu significado, mas depois de algum tempo algo mudou, e eu fui além do significado básico e senti que as cartas falavam comigo. Anos depois, quando comecei a trabalhar com o mestre psíquico Charlie Goodman, ele me disse que na verdade meus guias conversavam comigo por meio das cartas. Isso fazia sentido, porque eu estava recebendo muito mais do que o significado básico que aprendera.

Eu me lembro de uma leitura que fiz para Vicky, minha melhor amiga (que na época era um tanto cética). Enquanto olhava diversas cartas, tive a percepção clara de que ela ia ganhar um carro. Dois dias depois, sem nenhum aviso, o pai lhe deu um Road Runner 1969. Embora eu tivesse estragado a surpresa, fiquei muito feliz por não ter dado a Vicky uma esperança sem fundamento. Ela também ficou feliz, e rodou por toda a cidade de Denver naquele verão.

Quanto mais leituras eu fazia com minhas cartas, mais sentia a presença do guia que trabalhava comigo. Acabei por conhecê-lo como Joseph. Assim que pegava o baralho e começava a embaralhar as cartas, sentia a presença dele a meu lado.

As cartas não são a única maneira pela qual podemos nos comunicar com os guias. Podemos usar muitos outros oráculos. Quer se trate de baralho de tarô, do pêndulo, das runas, do I Ching chinês ou de qualquer outra versão moderna dessas antigas ferramentas divinatórias, todos os oráculos criam uma ligação direta da mente consciente com o Eu Superior, com seu espírito e com todas as forças divinas do universo.

Os oráculos existem há tanto tempo quanto os seres humanos. Segundo a lenda, os desenhos nas cavernas pré-históricas do centro da França foram criados pelo povo da Lemúria como oráculos para a comunicação com o céu.

Embora você não precise usar oráculos para estabelecer contato com os guias, esses instrumentos podem facilitar a comunicação tal como as rodinhas laterais podem nos ajudar a aprender a andar de bicicleta. Assim como é muito possível aprender a pedalar sem esse recurso, também é possível aprender a se comunicar com os guias sem usar oráculos. No entanto, pelo menos no início esses instrumentos tornam o processo muito mais acessível.

Podemos escolher entre muitos tipos de oráculo, de acordo com a preferência pessoal. Existem as runas, o I Ching chinês, a astrologia, os pêndulos e, naturalmente, o meu favorito: as cartas divinatórias, como o tarô. Acho que todos os oráculos são maravilhosos porque abrem novas estradas pelas quais seus guias podem se comunicar com você. Por meio desses instrumentos os guias podem indicar uma direção, convidá-lo a ver coisas que não percebeu, avisá-lo de transgressões internas e ameaças externas e lembrar-lhe o que é importante. Tudo isso torna a jornada espiritual muito mais fácil.

Os oráculos funcionam porque dão ao guia uma linguagem que você pode entender. Quando usados da forma adequada, funcionam com eficiência para nos conectar diretamente com nossos guias espirituais e com nosso Eu Superior.

Os oráculos são ferramentas fantásticas para ajudar a verbalizar a orientação dos guias, em vez de tê-la meramente como um ruído atenuado e ignorado no fundo da mente. Quando trabalhar com oráculos, quanto mais você analisar os significados em voz alta, mais orientação virá dos domínios mais elevados.

Minha mãe tinha uma amiga muito querida, uma intuitiva chamada Mary, que usava cartas de baralho como oráculo. As cartas estavam tão surradas pelos anos de uso que eu achava que elas iam desmanchar nas mãos de Mary sempre que ela as pegava. Quando fazia uma leitura, Mary embaralhava as cartas até sentir a presença dos guias e só aí começava. Sendo uma católica espanhola, ela me disse que seus guias eram São Francisco e Santo Afonso. Ela começava a leitura assim que seus "santos chegavam marchando" e abria uma carta de cada vez. Mary era muito precisa; para ela as cartas revelavam muito mais do que seu significado básico.

Mary foi a primeira pessoa, além de minha mãe, a fazer uma leitura para mim por meio de cartas. Ela me disse que os guias dela revelaram que um dia eu seria famosa no mundo todo. Na época, eu tinha 13 anos, portanto, foi muito difícil acreditar nisso. Olhando as mesmas cartas que ela estava vendo, perguntei qual delas dissera aquilo. Ela balançou a cabeça e afirmou que não tinham sido as cartas, mas São Francisco, que falou por meio delas. Não sei se posso me dizer famosa, mas meus livros são muito conhecidos em todo o mundo, como previu São Francisco. Até hoje, toda vez que um dos meus livros é publicado num país estrangeiro, agradeço a São Francisco e me lembro de Mary.

Quando trabalhar com um baralho divinatório ou com qualquer oráculo, é importante não repetir a pergunta só porque não gostou da primeira resposta. Se você tentar manipular o oráculo, em vez de permitir que ele revele livremente sua sabedoria, os guias irão embora e o oráculo perderá sua energia. Ele simplesmente não funcionará mais para você.

Essencialmente, isso significa que para ter sucesso com os oráculos é preciso ser sincero e usar o bom senso. Querer aprender e ter respeito pelo que recebe. Segundo meu instrutor Charlie, "Quando você tem a maturidade espiritual, os oráculos realizam maravilhas e são como uma luz no meio da noite. Quando você não tem maturidade espiritual, eles são dominados por energias baixas que se divertem à sua custa".

Muitos médiuns e intuitivos sentem atração por oráculos diferentes das cartas de baralho como meio de conexão com os guias. Conheci uma mulher, a falecida Hanna Kroeger, que vivia em Boulder, no Colorado, e era mundialmente famosa pela capacidade de fazer diagnósticos corretos e tratar doenças por meio de seu oráculo, um pêndulo numa corrente. Quando segurava o pêndulo firmemente sobre o consulente, ela podia estabelecer qual era doença, tanto no nível físico quanto no nível emocional, e também recomendar o tratamento adequado.

Lu Ann, minha querida amiga médium e mentora há trinta anos (a mesma que foi comigo para Denver), com frequência usa cartas para se conectar com os guias. Ainda mais útil e amado por ela é o I Ching, um recurso milenar chinês de adivinhação. Ela o consulta toda manhã para receber orientação para o dia, além de usá-lo em leituras. Lu Ann mantém um diário de todas as suas leituras do I Ching, e elas se tornaram parte integrante da suas conversas matinais com os guias.

A melhor amiga de Lu Ann é Joan Smith, minha outra mentora. Joan prefere usar a astrologia como oráculo e meio de comunicação com seus guias. Embora utilize apenas os mapas astrológicos para obter orientação básica, com o tempo ela começou a receber assistência dos guias para refinar o entendimento de circunstâncias, acontecimentos e até mesmo de datas muito específicas que os mapas não conseguem determinar. Dessa forma, seja qual for o oráculo que você escolha para estudar e utilizar, se for sincero ao consultá-lo, receberá uma orientação maravilhosa.

Por razões que não entendo bem, diferentes oráculos tendem a atrair diferentes tipos de guias. O I Ching, as runas, o tarô e as cartas divinatórias tendem a atrair guias de alto nível que fornecem muita orientação e instrução.

Por outro lado, o pêndulo pode ser aleatório quanto ao tipo de guia que atrai. Às vezes vêm guias de alto nível, mas, outras vezes, o que aparece são guias de nível menos elevado. Acredito que isso acontece porque o pêndulo pode ser facilmente manipulado pelo desejo da mente do usuário, estando por essa razão sujeito a confusão. Com isso não quero dizer que o pêndulo não possa ser um excelente oráculo para ajudá-lo a se conectar com os guias. Apenas saiba que ele pode ser inconstante, além de pedir grande seriedade de focalização e concentração para atrair o tipo de orientação que você deseja.

Você sabia que...

... o tarô, o I Ching, a astrologia, a numerologia, os pêndulos, os cristais, as runas, os tabuleiros Ouija e as cartas divinatórias são os oráculos mais comuns?

Sou grande admiradora da astrologia e da numerologia, porque ambas combinam o uso da lógica mais apurada com o uso dos canais intuitivos, e podem convocar a assistência de guias maravilhosos se o praticante estiver aberto para essa influência. No entanto, é bem possível usar os dois tipos de oráculos sem jamais abrir suficientemente os canais intuitivos para interceptar uma orientação mais elevada, portanto, embora possam sê-lo, nem sempre eles são um conduto direto para os guias espirituais.

Agora é sua vez

Seja qual for o oráculo que você escolher, lembre-se: essa é uma ferramenta para fortalecer os canais de comunicação entre seu coração e o seu Eu Superior e os guias. Tal como o telefone, o oráculo é neutro. Discamos a pergunta e o universo responde. As regras são simples:

- Adquira familiaridade e conforto com seu oráculo.
- Quando for o caso, proteja-o com uma bolsa ou saco de seda.
- Não deixe ninguém mais utilizá-lo.
- Seja sincero.
- Escute, aprenda e discrimine.
- Não repita uma pergunta.
- Entregue a análise final ao seu Eu Superior.
- Divirta-se.

Se seguir essas regras básicas, todos os oráculos poderão ser um meio poderoso de dialogar com os guias. Os oráculos funcionam para mim há 37 anos, e ainda estou aprendendo com eles.

Se sentir atração por eles, experimente-os. Com a atitude e a intenção corretas, eles funcionarão para você também. Se quiser saber mais sobre oráculos, há muitos livros sobre o assunto, inclusive o meu primeiro livro, *Oráculo da alma*. Como eu disse, não é preciso usar oráculos, mas eles são divertidos, principalmente as cartas, minhas favoritas, que discutirei com detalhes no próximo capítulo.

CAPÍTULO 27

Os baralhos divinatórios

Os baralhos divinatórios como o tarô são um excelente meio de comunicação com os guias. Esses baralhos geralmente contam com um número de cartas que vai de 44 a 72; cada uma tem um significado que fornece uma mensagem específica. Algumas cartas divinatórias, tal como o clássico baralho de tarô, são muito sofisticadas e complexas e têm como objetivo o progresso de nossas almas, enquanto outras, como o baralho cigano, são muito mais básicas e focalizam em questões simples e triviais como "Meu vizinho é meu amigo?".

Para usar cartas oraculares só é preciso embaralhá-las enquanto concentra o pensamento numa questão ou mesmo numa pessoa específica; então, é preciso extrair cartas aleatoriamente e dispô-las de acordo com determinados padrões, próprios para avaliar essas questões ou pessoas.

Existem centenas de baralhos divinatórios com que podemos trabalhar, inclusive um conjunto comum de cartas de jogar. A maioria dos baralhos está basicamente centrada em torno de quatro elementos: ar, água, fogo e terra, e seus correspondentes aspectos: mentais, emocionais, espirituais e físicos.

Os baralhos divinatórios existem há muito tempo e têm uma história muito rica que data da Idade Média. Alguns na verdade existem há mais tempo; supõe-se que eles tenham vindo da Atlântida. Os metafísicos do passado preservaram os ensinamentos espirituais de seus mestres criando um conjunto de símbolos que todos podem entender. Esses símbolos foram dispostos em baralhos de cartas que chegaram ao presente em diferentes formas.

O oráculo mais tradicional é chamado de tarô e costuma ser dividido em dois grupos ou arcanos: 22 arcanos maiores e 56 arcanos menores, cada um dos quais representa uma comunicação de seu Eu Superior ou dos guias. As cartas dos arcanos maiores representam leis espirituais que todos precisamos aprender; os arcanos menores representam as infinitas maneiras pelas quais seremos solicitados a aprender essas leis.

O tarô contém um tesouro de orientações e informações, mas é preciso muito trabalho para aprender a utilizá-lo. Cada carta tem um simbolismo próprio e um significado. Estudo o tarô há mais de trinta anos e sinto que estou apenas começando a entender o significado mais profundo das cartas. No entanto, você não precisa dominar e memorizar os significados para usar o baralho. Já foram publicados muitos livros que fornecem orientações. Como as Forças Universais da Luz querem que recebamos orientação espiritual o mais depressa possível, muitos intuitivos e artistas (inclusive eu) foram instruídos a criar versões modernas e acessíveis do sistema milenar do tarô. Portanto, agora existem muitos baralhos que são bastante objetivos, inclusive meu conjunto de cartas chamado *Ask Your Guides*, que se baseia nos arcanos menores de um baralho tradicional de tarô e é muito fácil de utilizar.

Seja qual for o baralho que você escolher, é possível se conectar com os guias fazendo perguntas e retirando cartas do conjunto para obter respostas. Um oráculo de cartas pode falar conosco de várias maneiras. A primeira é extrair uma carta para responder a uma pergunta. Basta fazer uma pergunta ou se concentrar em uma questão e puxar apenas uma carta para obter um insight. Para uma compreensão mais profunda da questão, você deverá retirar diversas cartas e organizá-las de acordo com padrões específicos.

Já consegui grande sucesso com cartas divinatórias, e acho que elas são um canal fantástico. Elas também são muito úteis para transmitir orientação em questões emocionais nas quais você não consegue manter a neutralidade ou a isenção, como quando quer saber se deve comprar uma casa que adora, mas é muito cara, ou quando quer saber se deve continuar a namorar alguém que acabou de conhecer e de quem gosta, mas em quem não sabe se pode confiar. As cartas permitem ao consulente evitar a interferência da parte subjetiva do cérebro, que quer ouvir determinada resposta. Dessa forma, elas dão uma perspectiva mais objetiva. Dito isso, acho imprudente consultar o oráculo ou tentar um contato com os guias quando se está emocionalmente sobrecarregado. É muito fácil confundir os sinais ou, no caso de um oráculo, não dar atenção ao que se recebe quando se está perturbado. Porém, se quiser ser acessível a uma influência superior objetiva, as cartas serão de grande valia.

Mais uma vez, trata-se de saber qual é a sua intenção. Você está procurando respostas ou só quer ouvir o que quer ouvir? Se estiver buscando uma real orientação, as cartas funcionarão. Se estiver procurando uma saída fácil ou compaixão, elas não serão úteis.

A beleza do tarô é usar imagens, em vez de palavras, falando diretamente com o subconsciente e conectando-o com a consciência mais elevada. As cartas de tarô abrem um diálogo com o universo e nos dão acesso a uma criatividade maior. O grande psicólogo Carl Jung uma vez afirmou que, se fosse preso e lhe concedessem um único privilégio, ele escolheria o tarô, porque esse instrumento contém toda a sabedoria do universo.

Se você quiser explorar as cartas divinatórias, comece por escolher aquelas que parecem mais atraentes para seu espírito. Você pode escolher um baralho ou vários, já que o diálogo com o espírito é uma arte, não uma ciência exata. Como eu gosto tanto das cartas, tenho uma coleção de diferentes tipos de baralho que uso em momentos diferentes.

Alguns baralhos parecem dirigir a conversação para um assunto específico; outros tratam de assuntos diversos. Por exemplo, um baralho clássico de tarô como o Rider-Waite pode falar em profundidade sobre questões espirituais, mas ser confuso quando você quer saber se deverá ou não fazer uma viagem. O tarô dos anjos pode lhe dar uma orientação magnífica quando se trata de dificuldades emocionais, mas deixá-lo insatisfeito quando precisa de informação sobre o emprego.

Eu mesma criei diversos baralhos divinatórias por causa dessa distinção. Meu conjunto *Trust Your Vibes* é projetado para ajudá-lo a tomar decisões e a desenvolver e fortalecer os músculos intuitivos, enquanto o baralho divinatório *Ask Your Guides* foi criado para fortalecer diretamente o diálogo com os guias. Eu também tenho um baralho projetado para ajudá-lo a conhecer o propósito de sua alma, e posso vir a criar ainda outros.

Uma cliente chamada Betsy telefonou para mim muito excitada porque usou o *Trust Your Vibes* como ajuda para escrever um livro infantil. Toda vez que ficava bloqueada ou insegura, ela tirava uma carta do baralho. Logo ela se viu bastante encorajada para terminar o livro. Então começou a usar o *Ask Your Guides* para conseguir ter o livro publicado. Antes de procurar um potencial editor ou agente, ela retirava uma carta para saber se aquele editor ou agente daria ao livro a chance merecida. Para sua grande surpresa e alegria, só com a consulta ao baralho ela conseguiu um agente na terceira tentativa e vendeu o livro dois meses depois de escrito. Ela me garantiu que sem a orientação das cartas certamente teria perdido a coragem e abandonado o projeto. Com a ajuda delas, estava celebrando.

Tenho outro cliente, Marcus, que toda manhã fala diretamente com os guias quando embaralha e puxa uma carta do seu baralho clássico de tarô, pedindo aos guias que lhe deem a "previsão do tempo" para o dia. Certa vez ele puxou a carta A Torre, o arcano maior que designa perturbação e destruição. Mais tarde no mesmo dia ele soube pelo chefe que a empresa estava sendo adquirida por outra e que seu cargo seria eliminado no final do mês. Em circunstâncias normais isso o faria entrar em um terrível estado de ansiedade, mas o aviso matinal o preparou para lidar com a questão.

Uma nova consulta às cartas trouxe A Estrela, indicativa de que novas surpresas estão por vir do universo. Em seguida, Marcus foi procurado pelo cunhado, que o convidou para ajudá-lo a dirigir uma lanchonete de comida mexicana em Iowa. Tal como indicado pela carta A Estrela, o convite foi inesperado, mas não poderia ter chegado em melhor hora. A última notícia que tive de Marcus foi que ele estava indo para Iowa e ainda consultava os guias diariamente por meio das cartas.

A chave para usar os baralhos divinatórios é jogar com vários tipos e ver qual ou quais funcionam melhor para você. Depois de escolher um deles, use-o por algum tempo. Adquira familiaridade com ele e aprenda a usá-lo. Usar um novo tipo de baralho é como usar um novo computador, que lhe permite comunicar-se instantaneamente com pessoas em todo o mundo. Da mesma forma, com um oráculo de cartas, você pode se comunicar com todo o universo.

Já me perguntaram se é preciso memorizar os significados das cartas de um oráculo antes de consultá-lo. Muitos especialistas em adivinhação por cartas diriam que sim, mas eu digo que não. Acho que você deve tentar interpretar seu oráculo diretamente antes de consultar o manual. O que seu espírito vê quando olha para as cartas? O que diz sua voz interior? Você pode trabalhar com um manual, mas confie também em suas percepções diretas. E ouça o que dizem seus guias. Você pode até mesmo pedir a eles para interpretarem as cartas se não lhes conhecer o significado ou não compreendê-lo plenamente. Ler um baralho divinatório é um processo orgânico, e você pode experimentá-lo com vários métodos até encontrar o que mais lhe agrada.

Nunca use as cartas sem sinceridade. Não ria de uma previsão nem faça nenhum tipo de brincadeira com o oráculo. Se fizer isso, atrairá entidades menos elevadas, em vez de atrair os guias espirituais de alto nível; como mencionei, as entidades menos elevadas têm a tendência a dar mensagens estranhas e perturbadoras que só podem confundi-lo e deixá-lo inseguro. Essas criaturas geralmente são inofensivas, mas isso é uma interferência psíquica inútil e não deve ser suscitada por meio de consultas descuidadas.

Não estou afirmando que você não possa se divertir com o uso de baralhos divinatórios. Você pode, já que eles são grande fonte de apoio e orientação. Apenas seja sincero.

Tive uma cliente chamada MK que usou o meu baralho para perguntar qual seria seu propósito na vida. O oráculo sugeriu que ela deveria procurar trabalhar com crianças e com literatura. Nada disso suscitava o menor interesse para ela, e na época o conselho não fez sentido. No entanto, um ano depois, no meio da noite, ela foi subitamente tomada pela ideia de escrever um livro para adultos no formato de livro infantil e ficou obcecada pelo projeto. Seis meses depois, ela havia escrito um lindo livro chamado *Will You Dance?... A Children's Story for Adults*. Agora ela usa esse livro em workshops de autoestima para adultos em todo o país, como sugeriu o oráculo.

Você pode consultar um baralho divinatório todo dia, se quiser, mas só deve fazer uma pergunta uma vez. Só se deve consultar as cartas novamente sobre a mesma questão se houver uma mudança nas circunstâncias. Por exemplo, no ano passado consultei meu baralho para saber se devia matricular minha filha em determinada escola e, subitamente, fui orientada a instruí-la em casa. Embora as cartas tenham dito que a escola seria boa para minha filha, as novas circunstâncias permitiam uma segunda consulta. A segunda tentativa defendia a ideia de fazê-la estudar em casa, e era muito mais entusiástica que a primeira. Com base nesse retorno, ela estudou em casa, e pela primeira vez na vida disse que adorava aprender.

Uso meus baralhos divinatórios constantemente porque eles são eficientes e agradáveis. Mas só porque são divertidos seu conhecimento não é menos profundo ou, minha intenção, menos sincera. É emocionante e agradável receber um retorno imediato, o que livra o espírito de muito desgaste. Mas a eficiência da adivinhação depende de você, não do baralho. Quanto mais receptivo você for, mais poderá esperar que o oráculo funcione como meio de comunicação entre você e seus guias espirituais.

Você sabia que...

... todos os baralhos divinatórios são pertinentes, e é apenas uma questão de preferência pessoal qual deles irá falar a você?

Agora é sua vez

Embaralhe bem suas cartas antes de usá-las. Dessa forma você infundirá nelas sua vibração pessoal e atrairá seus guias. Adquira sensibilidade para as cartas e veja se pode perceber a presença deles enquanto embaralha. Não deixe que mais ninguém as utilize. Guarde-as em lugar seguro, de preferência embrulhadas em seda ou cetim para protegê-las e preservar uma vibração translúcida. Fique à vontade com seu baralho, trate-o com respeito como se fosse um amigo. Ele é uma ferramenta que você amará se trabalhar com ela da maneira apropriada.

Quando estiver pronto para consultar as cartas, concentre a atenção nas perguntas e preocupações, uma de cada vez, enquanto embaralha. Com uma simples pergunta em mente, selecione cartas do baralho e siga o manual para interpretar o oráculo. Como acontece com qualquer orientação, tome o cuidado de não formular uma pergunta do tipo "Será que devo...". Em vez disso, peça que se revelem suas opções e tudo o que você precisa saber sobre aquele assunto. Então, utilize o oráculo para obter percepções e orientações.

Use suas cartas oraculares como um trampolim para conectar-se diretamente com seus guias e receba bem a orientação, mesmo que ela não faça completo sentido no momento em que é recebida. Dê ao oráculo uma chance de se revelar. Em geral, os conselhos ficam claros depois de algum tempo. Os oráculos mostram a você o que sua mente consciente não sabe, mas deveria saber.

Agora que aprendeu como seus guias trabalham melhor com você, vamos adiante e nos concentrar na maneira de viver graciosamente uma vida guiada pelo espírito.

PARTE VI

A vida guiada pelo espírito

CAPÍTULO 28

Seu eu superior: o maior de todos os guias

De todos os guias que temos, o mais importante é nosso Eu Superior, a voz e a frequência de nosso ser divino, totalmente realizado e eterno, nossa ligação direta com Deus, o Criador. É a conexão mais poderosa, concreta, amorosa e direta que temos com tudo o que desejamos, com todo o nosso propósito de aqui aprender e contribuir.

A principal tarefa dos outros guias e dos anjos é ajudar cada um de nós a fortalecer a conexão consciente com o próprio Eu Superior, de modo que ele dirija nossa vida, em vez de deixarmos que nossa vida seja dirigida por nosso ego limitado e amedrontado. Os outros guias se sentem realizados quando o Eu Superior enxerga por meio dos seus olhos, interage com terceiros, toma decisões e avalia seu progresso.

Em comparação com seus outros guias, a voz do Eu Superior é a direção que lhe indica seu eu mais autêntico. Quando você está conectado com seu Eu Superior, não há outras vozes em sua cabeça. Você só está focalizado em como se tornar um ser mais criativo e feliz. As preocupações do ego desaparecem quando seu coração se expande.

O melhor modo de ver seus outros guias é pensar neles como mensageiros e instrutores que o ajudam nas questões existenciais enquanto o conduzem a seu verdadeiro eu. Seu Eu Superior, por outro lado, não é um mensageiro, mas sua expressão mais elevada. Seus guias são os intermediários; seu Eu Superior é a fonte direta daquilo que você realmente é. O papel de seus guias é conectá-lo com seu Eu Superior; o papel dele é conectá-lo com Deus.

Ao trabalhar com os guias, você não deve se entregar a eles e esperar que dirijam sua vida. Quando se conectar com seu Eu Superior, entregar-lhe seu poder não é apenas correto: é desejável, pois ele não é uma fonte externa, mas seu verdadeiro ser.

Um cliente me perguntou por que precisamos de todos esses outros guias se nosso Eu Superior é tão poderoso. A resposta é: não precisamos. O único papel deles é dar assistência, apoio, companhia e prazer. Eles são auxiliares opcionais, não essenciais, em nossa jornada pela vida. Por outro lado, precisamos de nosso Eu Superior. Sem ele estamos perdidos, dominados pelo medo e pela ansiedade, como poderão testemunhar aqueles que não estão conectados ou familiarizados com o próprio eu mais elevado. O ego assume o controle, e somos consumidos pela insegurança e pelo medo. Apesar de todas as estratégias do ego para evitar a morte, ele nunca conseguirá fugir a esse destino. Mesmo que você se torne rico, famoso e poderoso, não poderá escapar da inevitabilidade da morte. Quanto mais o ego tentar conseguir isso, pior você se sentirá.

O ego floresce quando detém o controle, portanto, ele nos isola dos demais por meio de histórias, projeções e julgamentos sobre os outros e sobre nós mesmos. Ele usará todo recurso possível para evitar que você se sinta vulnerável ou peça ajuda. Além disso, as manobras do ego são tão exaustivas e fúteis que nos deixam com pouca energia para experimentar e desfrutar das maravilhas da vida. Nós nos tornamos fracos, cansados, doentes e prematuramente envelhecidos. Não há como evitar: deixar-se dirigir pelo ego limitado e amedrontado certamente arruinará sua vida.

O único antídoto para essa doença terminal da alma é se conectar com a voz e a vibração do Eu Superior e deixar que ele mostre o caminho. Ele é o ser que não morre, mas vive eternamente com simplicidade.

Como nos conectamos com nosso Eu Superior? O primeiro passo é silenciar a voz do ego. Você sabe a que voz me refiro: àquela que grita, acusa, defende, julga, justifica, se lamenta, não perdoa, jamais esquece, espera pelo pior e não confia em ninguém. Até que essa voz seja silenciada, você não ouvirá seu Eu Superior.

Mais do que qualquer outra orientação, a voz do Eu Superior é muito sutil, pelo menos no início da conexão. Depois que a conexão é estabelecida, o sinal fica progressivamente mais forte e difícil de ignorar. É como experimentar açúcar pela primeira vez: é tão doce, tão cativante, tão desejável, que passamos a querer mais.

A melhor maneira de ouvir seu Eu Superior e silenciar o vozerio do ego é meditar — tirar de dez a 15 minutos por dia para repousar o cérebro, acalmar os medos e mudar conscientemente o foco. Isso não é difícil. Só é preciso parar de se relacionar com o mundo exterior por aquele período e voltar-se para dentro, para a respiração, inalando lentamente enquanto conta até quatro e exalando lentamente enquanto conta até quatro. Basta isso.

Se sua mente se dispersar, não se preocupe. Continue a respirar ritmicamente. É um exercício simples, mas pede disciplina e prática. A mente não quer ser controlada, e vai procurar reagir. Você deve estar preparado para isso e tomar a decisão de praticar todo dia, de preferência no mesmo horário. Quanto mais você praticá-lo como rotina, mais fácil o exercício se tornará. Sua mente subconsciente se ajustará à rotina e automaticamente porá em prática sua intenção.

Se você for persistente, em algumas semanas estará ansiando por essa atividade.

Em segundo lugar, comece o que eu chamo de práticas meditativas. Refiro-me a agir com a intenção de acalmar a mente — sair para caminhar, dobrar a roupa lavada, tricotar, praticar jardinagem ou pintura —, retirar a atenção do monólogo mental e se dar uma folga.

Essas duas práticas sempre nos conectam com nosso Eu Superior. Elas o ajudarão a acreditar e reconhecer que tem esse eu mais elevado e capaz de dirigir sua vida com sucesso, a assumir total responsabilidade pela vida e a parar de dissipar seu poder ou culpar os outros por a dirigirem.

Quando está conectado com seu Eu Superior, você sabe imediatamente quando perde o curso. Ele pode sinalizar essa condição por meio de seu corpo, fazendo latejar seu coração, pulsar a parte de trás de seu cérebro ou fazer roncar seu estômago, até que você preste atenção. Por meio desses recursos, seu Eu Superior o impede de se sentir bem e em paz quando sai da trilha. Como uma pedra no sapato ou uma farpa no dedo, seu Eu Superior lhe causa irritação e desconforto quando você está sendo menos que autêntico, amoroso e eterno.

Infelizmente, muitos estão dispostos a viver com esse desconforto e o ignoram ou fazem um grande esforço para encobri-lo por meio de distrações, como as preocupações externas e até mesmo os vícios.

No entanto, quando você decide que não quer mais ignorar esses sinais, no dia em que resolve fazer o necessário para entrar nos eixos, é aí que sua conexão com seu Eu Superior alcança o ponto máximo. E quando você entrega seu ego ao Eu Superior, sua vida começa a dar certo.

Outra forma de estabelecer esse contato é treinar o subconsciente para passar por cima do ego e entregar o controle ao Eu Superior. Para isso basta dizer em voz alta: "Subconsciente, leve-me agora e sempre ao meu Eu Superior." Sempre que se sentir ansioso, perturbado, inseguro, irritado, ferido, confuso, vingativo ou insignificante, repita essa fórmula.

Para fortalecer a conexão ainda mais, diga toda manhã antes de abrir os olhos: "Subconsciente, deixe meu Eu Superior e somente ele dirigir-me neste dia."

Meu amigo Nelson usou essa estratégia quando estava terminando um casamento infeliz. Embora tanto ele quanto a esposa tivessem concordado que era hora de se separarem, os egos continuavam a se inflamar. A decisão mais difícil foi vender a casa e dividir igualmente o dinheiro. No dia em que puseram a casa à venda, receberam uma oferta de pagamento em dinheiro pelo preço desejado com apenas duas condições: de que eles aceitassem a oferta de venda em no máximo dois dias e entregassem a casa em trinta. Nelson ficou em êxtase, pronto para dar andamento à própria vida. Ele estava certo de que a mulher também ficaria feliz. Em vez disso, ela se recusou e não quis cooperar de maneira alguma.

Ele ficou furioso. Afinal, quem pedira o divórcio fora ela. Com medo de perder o negócio, o ego dele queria agredi-la com toda a força. Ele me chamou e perguntou o que fazer. Eu o aconselhei a entregar a questão ao Eu Superior.

— Mas eu não tenho tempo — protestou ele. — Temos de dar uma resposta ao comprador amanhã. Entregar a questão a meu Eu Superior é uma filosofia maravilhosa, mas ele não pode obrigar minha ex-mulher a assinar a venda.

— Entregue a questão ao seu Eu Superior — repeti.

Ele ficou em silêncio durante cinco minutos. Perguntei:

— O que seu Eu Superior sugere?

— Ele não diz nada.

— Você não pode fazer o mesmo? Afinal, isso faz sentido para mim. Você não pode fazer tudo. Sua mulher precisa chegar a termos com essa questão por si mesma.

— Acho que é uma boa opção — admitiu ele. — Eu nunca fui capaz de obrigá-la a fazer nada antes, como iria conseguir agora?

Portanto, ele seguiu meu conselho e não fez nada. Dez minutos antes de terminar o prazo ela telefonou, disse apenas "Aceito o acordo" e desligou. No dia seguinte os papéis estavam assinados e a casa foi vendida sem nenhuma palavra agressiva. O Eu Superior dele estava certo.

Minha cliente Mary Ellen ficou fora de si, em conflito, quando descobriu acidentalmente que seu chefe e outros dois funcionários estavam desviando fundos da empresa de investimentos onde ela trabalhava. Mary Ellen adorava o emprego, mas era a funcionária mais nova e a única mulher; claramente, não era apreciada por muitos dos colegas do sexo masculino. Ela estava com medo de dizer alguma coisa e sofrer retaliação, mas se ficasse calada poderia ser considerada cúmplice do crime.

Ela me chamou, preocupada, indignada e temerosa sobre o que devia fazer.

— O que sugere seu Eu Superior?

— Não sei. Ele não está falando. Se eu confrontar meu chefe vou perder o emprego. Vou ser uma delatora, e ninguém mais vai me contratar.

Mais uma vez, eu aconselhei:

— Acalme os medos e me diga o que sugere seu Eu Superior.

Depois de um longo silêncio, ela respondeu:

— Ele diz que eu devo me demitir por escrito e dizer a meu chefe e ao chefe dele o motivo, sem entregar nomes. E confiar que vou encontrar outra colocação.

Depois de um mês, os desvios de dinheiro continuavam a incomodá-la. Finalmente, ela não conseguiu mais suportar a situação e seguiu o conselho do Eu Superior, escrevendo uma carta. Ela saiu sem indenização ou recomendação, pois não ousou exigir esses direitos.

Três meses depois, Mary Ellen foi procurada pela empresa. Eles tinham demitido o chefe e os dois empregados e queriam tornar a contratá-la, com um aumento. Ninguém mencionou a demissão ou as acusações.

No início, confiar no Eu Superior e ignorar o ego será como saltar num precipício de olhos vendados. O ego quer que você se sinta dessa maneira para que ele mantenha o controle. No entanto, se você decidir saltar nesse precipício, descobrirá que como espírito é capaz de voar. Você se livra do medo do ego e começa a viver como seu espírito deseja.

Você sabia que...

... quando decide seguir a orientação do Eu Superior passa a ter mais liberdade do que jamais imaginou? Com isso poderá viver uma vida autêntica, com amor e sem medo. Nada lhe dá mais poder do que isso. Basta decidir que deseja entregar a direção de sua vida ao Eu Superior e dizer isso nos momentos de incerteza. É a maneira mais direta de concretizar todos os seus sonhos.

Agora é sua vez

A melhor maneira de entrar em contato com o Eu Superior é meditar. A meditação é uma habilidade que se aprende. Comece por respirar lentamente agora mesmo. Note como sua percepção se expande quando você simplesmente respira mais uma vez. Faça isso de novo. Dessa vez, inspire enquanto conta até quatro, segure a respiração por um momento e depois expire, enquanto conta até quatro.

Não tenha pressa. Continue esse processo até ter estabelecido um ritmo confortável. Se quiser, você pode ouvir música, principalmente o estilo barroco, cujo número de compassos por minuto é o mesmo da meditação profunda. Isso o ajudará a relaxar a mente.

Continue a respirar dessa forma até conseguir um ritmo lento. Enquanto respira, simplesmente repita "Eu estou" quando inalar e "em paz" quando exalar o ar. Se a mente começar a divagar, não se preocupe. Isso é normal. Limite-se a voltar o foco para a respiração e tornar a repetir as fórmulas "Eu estou" (inspirando) e "em paz" (expirando). Basta isso. Você estará meditando. Pratique essa técnica diariamente durante 15 minutos. Dentro de uma semana, mais ou menos, você estará ansioso por meditar porque isso acalma a mente e, quando a mente se acalma, você começa a entrar em contato com seu espírito.

CAPÍTULO 29

Pode ser difícil seguir os guias

Seu maior desafio quando trabalhar com os guias será aceitar o que eles dizem e confiar neles, principalmente nas ocasiões em que nada no mundo parece confirmar o que você está recebendo. É preciso coragem para viver uma vida intuitiva, guiada e amparada nos seis sentidos. Os guias indicarão a melhor forma de encontrar o caminho e o propósito e facilitarão a vida diária, mas ainda cabe a você decidir se vai seguir a orientação deles.

Eu tinha um cliente chamado Paul que era um médium extraordinário e trabalhava durante o dia numa padaria de Nova Jersey. Ele era feliz no casamento e tinha dois filhos, mas estava imensamente insatisfeito no trabalho. Os guias aconselharam uma mudança para Columbus, Ohio, onde a irmã dele morava; também aconselharam que ele começasse uma prática profissional como médium. Essa ideia lhe causava entusiasmo e terror ao mesmo tempo.

"*Que sonho!*" pensava ele. "*Que maneira maravilhosa de servir aos outros! Mas como vou pagar a previdência? Como vou comprar uma casa?*"

O mundo exterior lhe dizia que ele estava louco e que não fizesse aquilo, mas a esposa insistiu: "Vamos fazer isso." Portanto, sem nenhuma garantia, ele abandonou o emprego dizendo ao patrão que era médium e ia seguir outro caminho. O patrão não só aceitou bem a demissão como se tornou o primeiro cliente de Paul. Depois de alguns meses na nova vida, ofereceram-lhe a oportunidade de participar de um programa de rádio. Paul fez tanto sucesso que foi convidado várias vezes. Pouco depois, começaram a procurá-lo para consultas, e sua carreira floresceu. No final de um ano ele estava plenamente ativo como médium. Ouvir os guias foi difícil, porque parecia um risco muito grande, mas, quando ele decidiu trabalhar com eles e confiar no conselho, aquela se mostrou a melhor decisão que ele poderia ter tomado.

Outra cliente, Jocelyn, uma viúva, tinha guias maravilhosos que falavam com ela constantemente. Eles a aconselharam a fazer um cruzeiro com as amigas nos feriados de Natal, embora aquilo fosse causar um impacto imenso no orçamento da família. Os filhos acharam que aquela era uma atitude muito frívola e a criticaram imensamente, dizendo que ela estava sendo muito irresponsável. Preocupada com a possibilidade de que eles tivessem razão, ela foi cancelar a reserva, mas os guias gritaram: "Não!" No último minuto ela resolveu seguir o plano. Para ter certeza de que os filhos não iriam estragar seu prazer, Jocelyn se recusou a deixar que eles a levassem até o aeroporto.

No cruzeiro ela conheceu um homem maravilhoso que vivia a apenas cinco quilômetros de sua casa. Ele era viúvo e acabara de se aposentar como quiroprático. Os dois se entenderam imediatamente. O relacionamento continuou depois do cruzeiro. Dois anos depois eles se casaram. A melhor parte da história é que os filhos dela acabaram por amá-lo. Ele era uma bênção. De vez em quando, ela brinca com os filhos, lembrando que eles a aconselharam a ficar em casa. Eles negam.

Você sabia que...

... trabalhar com os guias é um estilo de vida? A opção por aceitar e utilizar a ajuda de fontes mais elevadas implica deixar para trás a vida antiga de medo e perda de controle. Pelo menos na minha experiência, aqueles que fazem isso levam uma vida muito mais abençoada, harmonizada, abundante e feliz.

Agora é sua vez

Pode ser difícil e até mesmo assustador seguir os guias quando tudo e todos lhe dizem para não fazer isso. Só posso sugerir que confie no que sente, escute seu coração e não peça a opinião de ninguém. Afinal, a orientação dos espíritos é do mais alto nível, portanto, não é preciso procurar validá-la contra outras opiniões. Se você estiver em dúvida, outras opiniões só irão confundi-lo ainda mais. No entanto, se você confiar nos guias, coisas maravilhosas começarão a acontecer — talvez não tão rápido quanto você gostaria, mas com certeza acontecerão.

CAPÍTULO 30

Orientação dos guias vs. boas-novas

Quando trabalhamos com os guias, é muito importante receber bem o que vier, e não editar a mensagem de modo a aproximá-la de nossos interesses. Nem é preciso dizer que buscamos orientação espiritual para obter resultados positivos e finais felizes. No entanto, a maneira de chegar a esses resultados e finais pode ser muito diferente do modo como queremos chegar lá. Para que possamos tomar decisões melhores, o segredo de buscar ajuda é abrir a mente para novas visões e aceitar as informações novas que podem influenciar nossa compreensão da situação. O que não dá certo é querer apenas que seu guia e seu Eu Superior concordem com você ou apoiem sua maneira estereotipada de pensar, mesmo quando ela é incorreta.

Um dos aspectos mais importantes de buscar orientação é recebê-la bem, mesmo quando ela é difícil de ouvir e aceitar. Tive uma cliente que utilizou cartas para consultar os guias sobre seu casamento e recebeu avisos assustadores de perda, duplicidade e traição.

Perturbada com a informação, ela deixou as cartas de lado. Na opinião dela, o marido, um negociante e banqueiro da área de investimentos, era "o epítome da dignidade" e jamais iria prejudicá-la. Além disso, era impossível que ele tivesse um caso. Ele estava em casa toda noite, e ela sabia que ele era fiel. Podemos imaginar o choque para ela quando vários meses depois ele foi preso por tráfico de informações privilegiadas e desvio de fundos, acabando por ser condenado a cinco anos de prisão.

Mortificada e incrivelmente ferida por vê-lo envergonhar dessa forma a si mesmo e à família, sem falar na ruína resultante, ela se queixou a mim:

— Aquelas cartas idiotas me avisaram. Eu nunca deveria tê-las consultado — disse ela, como se a culpa pela queda do marido fosse das cartas. Eu comentei:

— Esse é um ponto de vista interessante. A mim, parece que seus guias tentaram avisá-la por meio das cartas. Por que se zangar com o aviso? Os guias estavam lhe prevenindo para prestar atenção e talvez até mesmo discutir com seu marido suas preocupações com traição e duplicidade. Você jogou a chance fora. Você tinha alguma suspeita prévia do que ia acontecer?

— Bem, eu tinha — ela admitiu, envergonhada. — Ele vinha agindo como se estivesse sob pressão, perdendo a cabeça com facilidade e parecendo introspectivo. Estava bem diferente do seu normal. Foi por isso que consultei as cartas. Sentia que alguma coisa estava errada e queria saber mais.

— A julgar por sua reação, eu diria que você cometeu o erro clássico de matar o mensageiro quando deixou as cartas de lado e ignorou o recado dos guias.

— O que eu devia ter feito? — perguntou ela, na defensiva.

— Se eu estivesse nessa situação, abriria o jogo com meu marido, diria que estava com uma sensação ruim e perguntaria o que estava acontecendo.

— Pensei nisso, mas tive medo. Para ser sincera, eu não queria saber. Nós estávamos gastando mais do que nossa renda permitia, mas eu me sentia confortável demais para fazer perguntas. Arrependo-me disso.

— Como seu marido agora está na prisão, aposto que ele também gostaria que você tivesse perguntado.

Portanto, a regra fundamental quando pedir orientação — e não só por meio de oráculos — é não fazer perguntas para as quais não se quer ouvir a resposta. Se o conselho não lhe agradar, não mate o mensageiro.

Seus guias, pelo menos os de alto nível, só são capazes de dizer a verdade. Você decide o que fará com a informação. Se receber informação negativa, antes de agir examine a questão honestamente: você ou alguém próximo está fazendo algo que possa gerar essa negatividade? Você vem se recusando a ver alguma coisa, deixando de lado o bom senso e ignorando algo que poderá voltar para assombrá-lo? Você tem estado em companhia de alguém que lhe cause má impressão ou deixe seu espírito pouco à vontade? Nesses casos, preste atenção. Pelo menos é esse o conselho dos guias.

Em meus 37 anos dando consultas, posso dizer honestamente que nunca surpreendi nenhum cliente quando repassei notícias difíceis ou ruins trazidas pelos guias. Nossa percepção é muito mais aguda do que admitimos, e costumamos bloquear as realidades desagradáveis. Contudo, os guias não podem fazer isso. Portanto, se você perguntar, eles responderão, mas a resposta deles será imparcial, e nem sempre será o que você quer escutar.

Em outro caso, uma cliente pediu que de maneira alguma eu lhe desse más notícias, pois ela não iria suportar isso. Em obediência a esse desejo, não lhe disse que ela estava para perder o emprego (o que eu vi), mas estimulei-a a seguir seu instinto e começar imediatamente a procurar o emprego dos sonhos, porque aquela era a hora certa.

Dez dias depois ela foi despedida e telefonou para mim aos berros, afirmando que eu deveria tê-la avisado.

— Tendo em vista as restrições que você impôs, eu tentei — respondi. — Nós discutimos longamente o seu emprego e você foi aconselhada pelos guias a procurar outra colocação. Agora você sabe o motivo.

Ela desligou, furiosa. Três semanas depois, recebi um cartão no qual ela informava que acabara de conseguir um emprego maravilhoso e se desculpava pela reação descontrolada.

A tentação de deixar de lado as orientações dos guias que não nos lisonjeiam ou não estão afinadas com nossa vontade é muito forte, principalmente quando usamos oráculos. Já vi clientes embaralharem e escolherem as cartas, pedindo uma orientação, e em seguida as abandonarem se elas não derem uma resposta satisfatória. Uma mulher, Gina, tirou três cartas do baralho de tarô enquanto perguntava se devia abrir o próprio restaurante. Os guias advertiram que ela não devia se precipitar e criar parcerias instáveis com as pessoas erradas, conselho que ela não desejava ouvir. Como já se decidira sobre o negócio e os sócios antes de consultar o oráculo, ela ficou visivelmente aborrecida quando os guias sugeriram uma mudança de planos.

Apesar do conselho, ela seguiu adiante, assinando um contrato de aluguel do primeiro lugar que encontrou e formando uma sociedade com um homem que mal conhecia. O restaurante faliu depois de sete meses, e ela agora está processando o sócio, porque deixou a dívida para ela pagar. Ela voltou para me ver, desmoralizada pelo fracasso e sem poder acreditar no que acontecia.

— Você foi avisada — lembrei. — Só não quis escutar.

— Eu sei — lamentou ela. — Não queria escutar. Tudo o que queria era que você me dissesse que eu era brilhante e ia ter sucesso.

Por essa razão meu instrutor Charlie sempre me disse para nunca pedir orientação aos guias sem estar realmente disposta a receber as respostas. Se você pedir ajuda, mas sempre rejeitá-la, os guias vão considerá-lo falso e vão se afastar, como na clássica história *Pedro e o lobo*.

Você sabia que...

... na comunicação com os guias o maior obstáculo a superar provavelmente é essa dificuldade de aceitar a orientação? Afinal é difícil receber sugestões quando a decisão já foi tomada.

Agora é sua vez

A melhor maneira de garantir uma boa relação com os guias e criar uma comunicação fácil e fluida com eles é praticar o seguinte procedimento em quatro passos:

- **Passo 1:** Esteja pronto para receber a orientação. Isso significa começar cada dia com o coração e a mente receptivos para as sugestões dos guias.
- **Passo 2:** Espere ser guiado. Tal como acontece com tudo o que esperamos na vida, quanto mais você esperar pela orientação, mais irá atraí-la.
- **Passo 3:** Confie nos conselhos que recebe. Repita-os em voz alta sempre que puder e veja como se sente quando os verbaliza. (Escrever os conselhos não é o mesmo que verbalizá-los, mas essa é outra forma de criar facilidade e fluência na orientação.) Mesmo que receba um aviso ou notícias difíceis de aceitar, repita em voz alta para ver se aquilo está certo

e com sua aceitação sinta-se aliviado. Se a orientação for sólida, você perceberá essa qualidade assim que repeti-la em voz alta, portanto, não deixe de fazer.

- **Passo 4:** Comece a seguir a orientação assim que for recebida. Pode parecer que estou lhe pedindo para saltar em um precipício, mas não estou. Acho muito mais assustador ignorar o conselho dos guias e seguir na direção errada. Para isso é preciso prática, logo, comece aos poucos. Aja no seu ritmo e aprecie o processo. Comece por agir nas pequenas coisas até confiar bastante em seus guias e ver resultados positivos. Então, passe para os problemas sérios. Logo você estará numa relação assídua com eles e terá uma facilidade e uma fluência constantes em sua vida. Confie em mim, isso funciona.

CAPÍTULO 31

Busque um olhar crente

Quando estiver aprendendo a confiar nos guias, pode ser muito útil convocar um ou dois amigos receptivos com quem você possa compartilhar a orientação. Nesse caso, você procura apoio, e não alguém que julgue ou questione as sugestões recebidas. Esses amigos devem ter a mente aberta, "o olhar crente" — ser gente que o compreenda e o encoraje a ouvir a orientação e também o conheça o suficiente para identificar em você tendências que possam interferir na recepção clara da mensagem.

Eu tive a sorte de ter na infância uma mãe e muitos irmãos com quem podia falar livremente sobre meus guias, sem medo de censura ou ridículo. Quando estava me sentindo estressada, insegura ou em dúvida sobre a orientação dos guias ou os medos do meu ego, minha mãe ou algum dos meus irmãos me ajudava a esclarecer a confusão, apenas ouvindo enquanto eu verbalizava os conselhos recebidos.

Também recebi a ajuda do meu instrutor Charlie, que não criticava a orientação. Ele me encorajava a confiar no que recebia, por mais sutil e vago que fosse, e a aceitar tudo o que viesse por meio de meus canais intuitivos em desenvolvimento.

Também tive, e ainda tenho, amigas como minhas mentoras Lu Ann e Joan, minha melhor amiga Julia Cameron e minha amiga e xamã Debra Grace. E, naturalmente, tenho meu marido, Patrick, e minhas filhas, Sonia e Sabrina. Nós quatro conversamos sobre nossos guias com a mesma facilidade com que conversamos sobre o clima. Poder falar sobre meu relacionamento com os guias é um fator muito importante para fortalecer esse relacionamento e me conectar diariamente com eles.

Talvez você já tenha com quem falar abertamente sobre suas experiências com os guias. Nesse caso, você sabe como isso é importante.

No entanto, se você estiver apenas começando a entrar no mundo emocionante e maravilhoso dos guias e não tiver com quem conversar sobre eles, peça a seus auxiliares espirituais para trazerem alguém que cumpra esse papel. Uma das maneiras mais rápidas de identificar quem é e quem não é a pessoa certa para você é pegar um baralho oracular, tal como meu baralho *Ask Your Guides*, mostrá-lo abertamente e deixar sua família e seus amigos saberem que esse é seu novo interesse. Aqueles que forem capazes de estimulá-lo e apoiá-lo farão isso imediatamente. Os que tiverem uma atitude crítica não compartilham o seu interesse, portanto, não tente convencê-los, porque não conseguirá. Em vez disso, use sua energia para procurar pessoas que não precisem ser convencidas.

A conexão com os guias é uma experiência muito subjetiva; raramente as opiniões divergentes conseguem ser harmonizadas. Use o bom senso e uma observação criteriosa antes de discutir com terceiros sua experiência. Não sabote a delicada conexão energética que está formando com os guias deixando que alguém o bombardeie com opiniões negativas.

Você sabia que...

...pode conseguir apoio se falar abertamente sobre seus guias, mencionando o que sente ou recebe deles? Nesse caso, a chave para o sucesso reside na forma de discutir sua experiência. Se você falar sem rodeios, de forma positiva e apreciativa, tal como se falasse de um novo amigo, despertará o interesse e a crença das pessoas certas. Não perca tempo discutindo com quem não demonstra interesse.

Agora é sua vez

Acredito que ter com quem falar sobre o envolvimento com os guias é tão fundamental para o sucesso que formei grupos de discussão em meus cursos virtuais. Nesses grupos, gente do mundo inteiro pode trocar ideias sobre as experiências com os guias. Esses grupos se mostraram extremamente valiosos para ajudar os indivíduos a viverem uma vida mais confortável usando seis sentidos.

Também tenho um programa semanal de rádio que convida os ouvintes a trocar ideias sobre as conexões com o guia por meio do site www.hayhouseradio.com™ ou da minha página www.trustyourvibes.com. Em minha página existe uma sessão em que os internautas podem deixar suas histórias psíquicas para que todos leiam e deem apoio. Convido-o a participar em todas essas conexões.

Essas são apenas algumas maneiras de apresentá-lo a seu "olhar crente" e ajudá-lo a afastar o véu energético que separa a terceira e a quarta dimensões. Isso o ajudará a se comunicar com os guias de forma fácil e natural. Pode parecer arriscado buscar apoio abertamente, mas o risco será largamente compensado pelas retribuições que receberá de pessoas com as mesmas convicções.

EPÍLOGO

Agradeça aos guias

Quando trabalhamos com os guias é importantíssimo mostrar abertamente a gratidão pela assistência e por tudo o que eles fazem.

Eles gostam muito disso, porque é um reconhecimento de que foram bem-sucedidos no esforço de nos apoiar e tornar nossa vida mais fácil. Ainda mais importante para eles é o fato de que, quando aprova e reconhece a ajuda recebida, você expande seu coração e a capacidade de receber o amor dos guias e o amparo divino. Quanto mais você fizer isso, mais eles trabalharão para apoiá-lo e mais você poderá ser guiado.

Há muitas maneiras de agradecer aos guias. É claro que a mais simples (e mais fácil de esquecer) é apenas dizer "Obrigado, meus guias" em voz alta toda vez que sentir a ajuda deles. Melhor ainda é agradecer por antecipação. No domínio do espírito, um muito obrigado tem grande valor porque reconhece a presença e a contribuição do guia em nossas vidas, além de dar força ao Plano Divino, que quer apoiar de todas as formas o crescimento de nossas almas.

No entanto, descobri que os guias ficam mais felizes e receptivos quando o agradecimento envolve mais cerimônia.

Por exemplo, toda vez que meus guias proporcionam um acontecimento especialmente abençoado ou me ajudam de uma forma muito significativa, mesmo que se trate apenas de aliviar minhas preocupações ou me inspirar uma ideia nova, gosto de mostrar minha gratidão acendendo meu incenso favorito em homenagem a eles. Quando faço isso, digo: "Este incenso é para vocês porque sou grata pelo que fizeram em meu benefício."

Também recompenso meus guias oferecendo flores frescas, uma ideia que me veio há vinte anos durante minha primeira viagem à Índia. Sempre que visitávamos um templo, encontrávamos diante dele mulheres vendendo maravilhosas guirlandas de tagetes para serem ofertadas aos deuses, para honrá-los. Como a intenção era unicamente dar prazer aos deuses, a oferenda não seria aceitável se o doador cheirasse as flores. Esse presente floral não era novo para mim. Fui criada como católica e todo mês de maio oferecia belas flores a Maria, como forma de homenageá-la e agradecer por seu amor e amparo.

Seguindo esse tema, ofereço buquês para os meus guias, principalmente aqueles que me ajudam quando faço leituras, colocando diariamente flores frescas em meu escritório. De acordo com o conceito de que essas flores são para dar prazer aos meus guias, e não a mim, evito cheirá-las diretamente, embora desfrute do perfume que enche a sala.

Também agradeço a meus guias acendendo velas perfumadas, outra tradição de amor que trago da minha criação católica. Toda semana eu economizava parte da minha mesada para, ao ir à igreja, colocar uma moeda na caixa de coleta e acender uma vela para Santa Teresa, que julgava ser minha guia especial. Até hoje acendo velas de sete e 14 dias em agradecimento aos guias.

Outra maneira maravilhosa de demonstrar gratidão pelos guias é cantar uma linda canção para eles ou tocar uma música inspiradora. Canções e músicas instrumentais criam uma vibração harmônica de alto nível em que os guias adoram entrar.

Ainda outra forma de reconhecer o benefício dos guias é criar para eles um altar com imagens, fotos e ícones de que você goste.

Criei meu primeiro altar no pé da minha cama quando tinha 12 anos. Coloquei nele o rosário da minha primeira comunhão, uma foto da minha família tirada no Natal, uma cópia do meu boletim da quarta série, que só tinha notas máximas, um desenho da minha guia Rose, algumas pétalas das flores do jasmineiro do jardim de nossa casa, uma pequena vela de sete dias branca num recipiente de vidro e um sino que eu tocava sempre que desejava a presença de meus guias.

Ainda mantenho em meu escritório um altar que ocupa praticamente toda uma parede. Nele, estão objetos sagrados que adquiri no mundo inteiro nos últimos 35 anos. Já não é só um altar; é um santuário cheio de imagens sagradas e felizes, peças de arte e vários objetos que me lembram das bênçãos recebidas. Ficar de pé em frente a ele não só atrai meus guias como também fortalece minha profunda conexão pessoal com Cristo, Maria e Deus.

Para criar seu próprio altar, pegue uma mesa ou estante e coloque-a numa área de um ambiente que você frequenta, mas onde não seja perturbado. Projete esse espaço como seu altar espiritual e coloque nele símbolos, fotos e objetos que evoquem um sentimento de felicidade, paz e amor. Experimente vários objetos e veja quais aumentam sua vibração, abrem seu coração e despertam em você um sentimento profundo de reconhecimento. Experimente imagens sagradas e fotografias pessoais, símbolos, flores, velas — até mesmo um pequeno espelho, porque ele reflete a luz e você.

Outra forma de mostrar gratidão é manter uma casa limpa e organizada. Se isso for pedir demais, pelo menos mantenha dessa forma a área em torno do seu altar. Isso mostra seu respeito pelos guias, dando a eles um local tranquilo e limpo onde repousar. Também lhe dará um ambiente propício para a comunicação com eles. Um altar estabelece um ponto de encontro com os guias e, quanto mais calmo e limpo ele for, mais claro será o canal de comunicação.

Se você sentir que os guias foram especialmente apoiadores, recompense-os criando uma oferenda em sua homenagem. Para isso, reúna velas, flores frescas, incenso, fotos alegres, sinos e imagens sagradas, juntamente com uma prece de gratidão por escrito. Coloque tudo isso em destaque no seu altar. Deixe seus guias saberem que aquela é uma oferenda para eles virem desfrutar. Isso cria uma vibração incrivelmente alta e poderosa em sua casa, um presente que continua a trazer benesses. Você sentirá as energias divinas apresentando-se para receber os presentes e deixando amor e bênçãos.

Você sabia que...

... meu professor, o Dr. Tully, uma vez me disse que o melhor que podemos fazer pelos outros, por nós mesmos e pelo mundo é ser felizes? Essa é a melhor forma de agradecer as bênçãos e o amparo de seus guias.

Agora é sua vez

Uma das maneiras supremas de honrar e agradecer aos guias e a todos os auxiliares divinos é se concentrar em viver com um coração feliz e uma atitude positiva, entregando a eles seus medos. Dessa forma, não só você aceita as bênçãos divinas como também se torna um guia e uma bênção para os outros.

Que Deus te abençoe e os anjos te protejam.
Que teus batedores te conectem, teus auxiliares te ajudem, teus curadores te apoiem, teus instrutores te iluminem, teus guias da alegria te encantem, os espíritos da natureza te equilibrem, teus guias animais avivem tua alma, e teu Eu Superior te conduza numa vida de paz, graça, criatividade e contribuição, cheia de amor e de risos, em tua jornada pessoal pela Terra.

Com todo o meu amor e apoio,
Sonia

Agradecimentos

Quero agradecer à minha mãe, Sonia Choquette, por abrir o véu do mundo do espírito e me apresentar ao amor celeste. Ao meu pai por ser o solo estável em meu mundo tão espiritual. Ao meu marido, Patrick, e minhas filhas, Sonia e Sabrina, pelo eterno amor, pela paciência e pela disposição para entender o trabalho da minha vida. A Lu Ann Glatzmaier e Joan Smith, por serem meu "olhar crente" e minhas irmãs do coração desde que consigo me lembrar. Aos meus instrutores Dr. Tully e Charlie Goodman, por compartilharem comigo sua sabedoria e suas técnicas para estabelecer o mais elevado nível de comunicação com os guias espirituais.

A Reid Tracy, meu novo anjo terreno, e a toda a equipe da Hay House, pela dedicação e pelo apoio incansável. Para minha amiga amada e amparo criativo Julia Cameron, por me ajudar a trazer ao mundo este trabalho. A meus editores Bruce Clorfene e Linda Kahn, pela ajuda para transformar este livro num original apresentável. E a todos os meus clientes por me cederem suas histórias. Acima de tudo, quero agradecer a Deus e a todos os seres abençoados do universo pelo amor, pela orientação e pelo dedicado esforço em meu benefício, perpetuamente guiando meu caminho. Sou sua serva humilde e agradecida.

NOTA SOBRE A AUTORA

Sonia Choquette é uma intuitiva e instrutora espiritual de renome internacional, especializada em ajudar os indivíduos a reconhecerem que somos todos dotados de um sexto sentido com que podemos contar. Como excelente instrutora dedicada a fortalecer a intuição em nossas vidas diárias, ela é autora consagrada de dez livros e numerosos programas em áudio.

Sendo uma intuitiva muito treinada, com grande experiência no misticismo oriental e ocidental, Sônia foi educada na University of Denver e na Sorbonne, em Paris, e é doutora em metafísica. Sua missão é ajudar as pessoas a integrarem uma intuição sólida e confiável com a experiência da vida cotidiana. Ela orienta os clientes na forma de construir uma base psíquica que apoie o sexto sentido, de modo que eles possam se tornar maiores do que imaginam ser possível. Ela ensina que a principal função de nosso sentido psíquico é guiar o crescimento da alma e nos manter sintonizados com nosso caminho e nosso propósito. Sem a direção desse sentido, perdemos o rumo. Em seu primeiro livro, *O oráculo da alma*, Sonia afirma: "O caminho psíquico é o caminho da alma. É o caminho de uma vida com a crença e a compreensão de que somos almas e de que nosso principal propósito é o crescimento espiritual."

O caminho de Sonia abrange numerosos best-sellers publicados em mais de 23 países, além de palestras e oficinas por todo o mundo, milhares de clientes agradecidos e um lar em Chicago que ela compartilha com o marido, Patrick Tully, as filhas Sonia e Sabrina e uma cadelinha poodle chamada Miss T.

www.soniachoquette.com

Este livro foi composto na tipografia Minion Pro,
em corpo 11/15,4, e impresso em papel off-white
no Sistema Digital Instant Duplex da
Divisão Gráfica da Distribuidora Record.